FLÁVIA FLORES

QUIMIOTERAPIA E BELEZA

Dicas de uma ex-modelo para superar o câncer e manter a saúde, a sensualidade e o alto-astral

Copyright © 2013 Jardim dos Livros

1ª reimpressão — Novembro de 2013

Grafia atualizada segundo o Acordo Ortográfico da Língua Portuguesa de 1990,
que entrou em vigor no Brasil em 2009

EDITOR E PUBLISHER
Luiz Fernando Emediato

DIRETORA EDITORIAL
Fernanda Emediato

PRODUTORA EDITORIAL E GRÁFICA
PRISCILA HERNANDEZ

ASSISTENTE EDITORIAL
CARLA ANAYA DEL MATTO

CAPA, PROJETO GRÁFICO E DIACRAMAÇÃO
Megaarte Design

PREPARAÇÃO DE TEXTO
SANDRA MARTHA DOLINSKY

REVISÃO
MARCIA BENJAMIM
DANIELA NOGUEIRA

Dados Internacionais de Catalogação na Publicação (CIP)
(Câmara Brasileira do Livro, SP, Brasil)

Flores, Flávia
    Quimioterapia e beleza / Flávia Flores. – São Paulo : Jardim dos
Livros, 2013.

    ISBN 978-85-63420-65-7

1. Aparência pessoal 2. Autoestima 3. Beleza – Cuidados 4. Câncer
em mulheres 5. Câncer em mulheres – Aspectos psicológicos 6. Câncer
– Quimioterapia 7. Câncer – Tratamento 8. Estética 9. Flores, Flávia
10. Histórias de vida I. Título.

13-10563	CDD-362.196994

Índices para catálogo sistemático:
1. Mulheres com câncer : Tratamento e cuidados com a aparência pessoal :
Processo de cura : Histórias de superação 362.196994

EMEDIATO EDITORES LTDA.
Rua Major Quedinho, 111 – 20º andar
CEP: 01050-904 – São Paulo – SP

DEPARTAMENTO EDITORIAL E COMERCIAL
Rua Gomes Freire, 225 – Lapa
CEP: 05075-010 – São Paulo – SP
Telefax: (+ 55 11) 3256-4444
E-mail: jardimdoslivros@geracaoeditorial.com.br
www.geracaoeditorial.com.br
twitter: @jardimdoslivros

Twitter: @quimioebeleza   Instagram: @flyvia
Facebook: www.facebook.com/quimioterapiaebeleza
Pinterest: www.pinterest.com/quimioebeleza

Impresso no Brasil
Printed in Brazil

PREFÁCIO
Gilberto Dimenstein

FLORES HUMANAS

Há pessoas que transformam uma dor individual numa solução coletiva.

São flores raras no deserto humano.

Flávia Flores é um desses casos: o drama de um câncer serviu para que ela ajudasse a disseminar beleza. Literalmente.

Ela podia ter se encalacrado, como a maioria das pessoas, em sua dor, vivendo – ou sobrevivendo – na solidão.

Preferiu ajudar as pessoas a lidarem melhor com a doença, ensinando-as a usar a arma da beleza para enfrentar os efeitos dos tratamentos.

É um roteiro de delicadezas que faria Flávia uma personagem inusitada em qualquer parte do mundo.

Quando ouvi pela primeira vez sobre seu trabalho, fiquei pensando não só na quimioterapia. Mas na química humana.

Como alguém desenvolveu tamanha resiliência a ponto de transformar um risco de morte em vida?

Vida para ela e para gente desconhecida, da qual ela se tornou, embora distante, tão próxima.

Afinal, essa é a força da compaixão: fazer do distante algo próximo.

Fiquei profundamente interessado não só pelo que via, mas pelo que não vi: a construção do ser humano.

Suas alegrias, frustrações, lembranças, laços familiares, aprendizagens, para tentar entender o contexto em que nascem e prosperam atitudes.

A leitura deste livro, quase um diário, mostra as descobertas encantadas no mundo.

Lemos como se fosse o relato de um parente ou amigo querido. Ficamos cúmplices de uma história de vida.

Ficamos, aliás, cúmplices de nós mesmos, ao descobrir nossas flores humanas.

APRESENTAÇÃO

Querida Flavinha!

Há alguns dias atendi a uma paciente com câncer de mama recém-diagnosticado. Durante toda aquela conversa que você já conhece (risos), ela levantou os olhos e me disse que se sentia forte e preparada. Disse que havia uma moça linda, que estava em tratamento, que havia sido diversas vezes entrevistada, e que dizia coisas tão legais que muito a inspiraram.

Na hora não entendi, mas depois vieram outras, e, por fim, aquela corrente de pessoas que a haviam visto na tevê e teciam comentários cada vez mais intrigantes...

Qual não foi minha surpresa quando a primeira paciente me trouxe, hoje, seu nome e pediu para que eu desse uma olhadinha em seu trabalho. Na hora não acreditei. Tive um pouco de vergonha desta minha vida, na qual tanto se trabalha que se esquece de olhar ali, logo ao lado. Fiquei quietinha e esperei que ela saísse para abrir a página da senhorita Flávia Flores e ver o que essa mocinha estava aprontando!!!

Você é inacreditável. Não imaginava que por trás de tanta beleza poderia haver tanta beleza! Coisa mais linda de se ver!

Gostaria que você soubesse que seu objetivo de levar o bem para perto daqueles que estão passando por momentos tão difíceis está sendo mais que bem-sucedido. Tem feito um bem danado para todas, e me sinto profundamente emocionada com todo seu talento. Com toda sua beleza! Com toda sua bondade e toda essa disposição para mostrar a todas as pessoas que existe muito a se aprender na adversidade...

Parabéns! Você é muito especial!

Adorei tudo que fez, e vou dizer à mulherada que fique de olho em você.

Beijo, e continue firme por aí!

Dra. Adriana Magalhães Freitas

PESSOAS MUITO ESPECIAIS

Muitas pessoas deixaram de falar comigo depois de meu diagnóstico; até hoje não falam, não sei por quê... Fazer o quê? Mas a quantidade de pessoas especiais que apareceram em minha vida, que acreditaram em meu projeto, que surgiu sem a menor pretensão de ser esse sucesso que é hoje, é enorme.

Queria agradecer, em primeiro lugar, a minha mãe, que me patrocinou até agora. Meu pai, meu filho, minha avó – que me acolheu em sua casa –, a toda minha família e as minhas melhores amigas, que me deram muito amor.

Quero mandar um beijão para Gigi Werneck, que também é paciente de câncer e me ajudou muito trocando ideias comigo sobre o conteúdo do texto, muito porque ela, como eu, está lutando contra o mesmo inimigo.

A Daniel Tupinambá, um diretor supertalentoso, que teve a ideia de fazer meu material audiovisual, que foi um sucesso! Procurem no YouTube por Quimioterapia e Beleza; os vídeos mais lindos foi ele quem produziu – os outros filmei eu mesma, pelo celular.

A Clica e Wlad, artistas maravilhosos que se dispõem sempre a tirar novas fotos, a se jogar na piscina comigo para fazer fotos embaixo d'água; editam, divulgam e são megatalentosos! No Instagram, procurem @clicavoigt e @Wald.

A Sara Roberta, uma mulher incrível que por amor à causa resolveu me ajudar no projeto como um todo. Ela desenvolve os projetos, põe em prática todos os meus sonhos, e, quando necessário, até briga comigo. Temos uma relação Pink e Cérebro – eu sou a Pink, no caso. E acordamos todos os dias com uma missão: tentar conquistar o mundo!

A Aline Félix, a pessoa mais zen que conheço. Ela veio me procurar, disse que queria muito me ajudar! Várias pessoas se ofereceram, mas ninguém segura o rojão; ela sim! É minha assessora de imprensa, jornalista, revisa meus textos, dá ideias e uma risada muito gostosa!

Quando eu ainda sabia muito pouco sobre maquilagem, acabei recorrendo a meus amigos maquiadores, que me maquiaram, participaram, gravaram e me tiraram várias dúvidas. A Renato Reyes, meu amigo querido, paciente, talentoso e lindo! E a minha nova amiga Fabi Silvy, de Floripa, que sempre está disposta a ajudar e a ensinar!

PRÓLOGO

Eu ainda sofria com as dores da cirurgia plástica. O corpo estava inchado, as marcas salientes dos pontos cruzavam desordenamente o meu tórax, sentia-me como se tivesse sido atropelada.

Mas naquele 4 de outubro de 2012, uma quarta-feira, apesar das dores, eu me sentia tão radiante como a tarde ensolarada de Florianópolis que entrava pela janela do carro.

Sentada no banco de passageiro, minha mãe ao volante, eu apreciava a paisagem marítima da avenida Beira-Mar.

O corpo doía, apenas um suspiro me alterava, mas a vaidade celebrava, combinava com o cenário. Há dez dias eu, que sempre fui muito vaidosa, tinha implantado seios novos. Raras vezes estive tão feliz com meu corpo.

Meu médico havia me chamado no consultório para falar do carocinho que tinha sido retirado no ato da cirurgia, e pelo semblante de minha mãe eu senti dentro de mim uma sensação tão ruim de perda e vazio – alguma coisa estava muito errada ali.

Não podia imaginar que, naquele instante, o carro me conduzia para o caminho mais difícil – tão difícil que levaria meus seios para tentar salvar minha vida.

Não podia muito menos imaginar que o tumor me levaria a um caminho ainda mais inesperado.

Minha descoberta de uma beleza mais profunda e verdadeira do que aquele pedaço de silicone.

Resolvi escrever este livro para tentar descobrir-me e saber de onde tirei a força para manter o sorriso apesar das bombas químicas que brigavam em meu corpo durante o tratamento de câncer.

Decidi tornar-me parte dessa química, ajudando gente que nunca vi a encontrar beleza e um novo começo onde quase todo mundo vê fim e feiura.

Vivendo entre a vida e a morte, tantas lembranças vieram à tona e refleti sobre toda a minha vida.

Este livro é uma mistura de várias coisas. Um diário cheio de lembranças, emoções, dores, medos; mas também é um manual de sobrevivência para pacientes, seus amigos e familiares.

MINHA INFÂNCIA

Tive uma infância privilegiada, cercada por uma família grande: meu pai é um dentre catorze irmãos e tem ascendência argentina. São amorosos, falam muito. Nós nos reuníamos em todas as férias na fazenda de minha vovó Balbina, que morreu há poucos anos, já fazendo hora extra na Terra, aos 104 anos de idade. E era aquela confusão. O lugar era tão ermo que nem tinha luz elétrica; consequentemente, não tinha tevê, liquidificador, geladeira, e brincávamos no açude, montados em cavalos, vestidos de super-heróis. Meus primos aprontavam todas, e confeccionávamos saias com folhas de cinamomo.

Em 1979, eu já gostava de um espelho

Tudo que eu ganhava era vermelho: motoquinha, roupas e brinquedos. Nasci "colorado" em 1977

Com meu pai na fazenda, 1980

A família de minha mãe era menor, tinha apenas dois irmãos. Família tradicional alemã; seus pais, Kertha e Marcílio, vieram para Florianópolis assim que eu nasci, para cuidar de mim.

Fui muito esperada. Depois de sete anos de casados e tentando engravidar, finalmente nasci. Minha mãe estava tão nervosa que os médicos lhe injetaram uma dose de Valium na veia, com o intuito de acalmá-la. Mas ela continuava tensa, com medo de perder mais um bebê. Acabou que, quando nasci, não chorei, não mamei, e os médicos acharam que eu tinha algum problema no coração ou na cabeça. Mas não era nada disso... Eu nasci mesmo chapada!

Depois de mim veio o Thiago. Ele era uma criança muito bonita e eu me achava um bicho de tão feia! Por isso judiava dele. Joguei-o do sofá e ele quebrou o braço; bati seu rosto na parede e ele quebrou um dente; fiz com que engolisse bolinhas de gude. Quebrou também as pernas, outro braço, parecia que aquele menino era de vidro. Quebrava-se facilmente, coitadinho. Ou eu era muito forte...

Eu sempre reclamava dele para meu pai: "– Paaaai, Thiago me chateou, escondeu minha boneca, ele é chato, pentelho, está comendo meleeeecaaaaaa".

Um dia, meu pai foi conversar comigo e disse assim: "Thiago é mesmo um chato, não é? Vamos dá-lo a outra família para que cuide dele e não a perturbe mais!".

Nossa, como meu coração se apertou! Eu não queria ficar sem meu irmão; estava arrependida, e por uma semana não tirei os olhos dele, pensando mesmo que meu pai ia dá-lo a outra pessoa.

Como as empregadas domésticas surtavam comigo e com meu irmão dentro de casa aterrorizando, algumas vezes fomos abandonados sozinhos durante a tarde. Elas nem ligavam para minha mãe para avisar que estavam indo embora; apenas saíam porta

Eu e Thiago. Ele vestindo seu pijama, e eu, a roupa de bailarina de minha madrinha.
Repare na rosa no pescoço, o batom e o amor. 1982

Com Thiago na Disney, 1991

afora e nunca mais voltavam. Então, muitas vezes nós íamos trabalhar com minha mãe, pois ela não tinha com quem nos deixar. Ou íamos para a casa de meus avós. Lá, eu sempre arrumava retalhos e desenhava "modelitos" para ela costurar para mim e para minhas Barbies; destruía as plantinhas para fazer "comidinhas" em meu pequeno fogão de barro, enquanto meu irmão tratava de desmontar seus brinquedos e construía outras engenhocas com as peças desses carrinhos ou barquinhos. Eles sempre viravam pequenos ventiladores e outras coisas motorizadas.

Eu via meu pai sempre muito alegre, bonito, popular entre os amigos, fazendo piadinhas, bebendo e fumando. Era um *bon vivant*. Ele sim era uma pessoa divertida, em quem eu me espelhava para que, no futuro, pudesse ser como ele e me divertir como ele.

Eu via sempre minha mãe atrapalhada, tendo que tirar as crianças da cama, sendo econômica, dura, passando maus bocados por causa das empregadas que nos abandonavam, fazendo deveres conosco, gritando e educando. E eu pensava: isso eu não quero para minha vida, não. Prefiro ser como meu pai, que deixa tudo, não se estressa, só aparece

QUIMIOTERAPIA ❷ BELEZA

nos fins de semana em casa, por causa do trabalho. E era só alegria comigo e com meu irmão.

Hoje sei que não era bem assim e que fui injusta com minha mãe, pensando que ela era a malvada da história. Ela fez tudo muito perfeito. Levava-me na marra à igreja aos domingos de manhã enquanto meu pai via programas de tradição gaúcha em casa, na cama, até que voltássemos.

Depois de adulta percebi tudo. Vi o que era certo e o que era errado. Peguei o melhor de meu pai e o melhor de minha mãe e me transformei no que sou hoje. Sou divertida e responsável, tenho um bom coração e não sou consumista. Sou carinhosa e focada, uma junção de meu pai e de minha mãe.

Quando eu tinha doze anos meus pais se separaram, e eu não aceitei numa boa. Fiquei muito revoltada, quis chamar a atenção e acabei fazendo algumas besteiras. Uma delas foi arrumar um namorado sete anos mais velho. Eu estava na oitava série de um colégio de freiras e ele fazia cursinho no mesmo período. Como ele não queria trocar figurinhas e pular amarelinha comigo, acabei engravidando antes do primeiro ano do ensino médio, justamente no carnaval. Tínhamos oito meses de namoro, e eu tinha apenas catorze anos.

Minha mãe, como estava sempre em casa, percebeu que eu acordava vomitando verde, e foi me perguntar se eu não estava grávida. Eu só dava patadas nela e não queria saber de papo, mas aquilo me intrigou. Comprei um teste de farmácia. Deu positivo.

Eu não sabia como contar a minha mãe, a minhas amigas, que eram todas virgens. E o que meu pai ia achar disso? O que ia acontecer agora? Fiquei apavorada.

Sozinha, fui procurar uma médica e comecei a fazer o pré-natal. Então, mostrei o exame para minha mãe, que, como uma boa alemã, não surtou. Sentou-se comigo e expôs as saídas: "Você pode casar. Você pode abortar. Ou pode dar seu filho quando ele nascer".

Minha mãe tinha uma amiga que sonhava em ser mãe, mas nunca teve oportunidade.

Chorei, mas chorei muuuuitooooo! Como eu não sabia nem como fazer sexo e o pai de meu filho havia dito que eu devia confiar nele, também não sabia o que era um aborto. Meu pai, que estava em Curitiba, em tempo recorde chegou a Florianópolis – em duas horas – todo apavorado, chocado. Disse que eu devia assumir meus atos e que teria esse bebê.

Foi a melhor opção. Seis meses depois, a namorada de meu pai, Cynthia, engravidou, e Vicente, meu meio-irmão, nasceu. Imagine como seria olhar para Vicente e imaginar que meu filho poderia estar brincando com ele. Seria muito difícil, e talvez eu houvesse feito besteiras maiores e tivesse um trágico fim; muito nova, o desespero e a culpa me acompanhariam para sempre.

Durante minha gravidez perdi todas as minhas amigas de infância, pois suas mães as proibiram de falar comigo. Eu era uma má influência. Mas eu não era uma garota que chamava atenção, atirada, e sim uma menina sem informação que nunca havia comentado com as amigas sobre sexo por vergonha. E estava naquele momento abandonada por todos. Menos por minha família e pela Irmã Norma, diretora do meu colégio, que recebeu a notícia de braços abertos e até ofereceu uma bolsa para o meu pequeno até eu terminar os estudos.

QUIMIOTERAPIA & BELEZA

Eu e minha mãe, uma das poucas fotos que tenho de minha gravidez. 1992

Eu tinha uma amiga que não me criticou, nem sua família. Ela me acompanhava nos intervalos e me fazia companhia caminhando até a Secretaria da Educação, onde minha mãe trabalhou por muitos anos; ela discutia com as pessoas que falavam mal de mim. Juliana me defendia. Só que no dia 4 de outubro ela morreu num trágico acidente de carro. E eu sofri e me vi mais uma vez sozinha.

Depois da morte de Juliana não consegui mais ir ao colégio. As outras crianças me olhavam com pena, pois a grávida havia perdido sua fiel escudeira. Comecei a fazer os trabalhos de casa para não perder o ano letivo, mas não adiantou. Reprovei.

Um mês após a morte de minha amiga, Gregório nasceu, com 4,54 kg e 54 cm, na maternidade Carlos Correia, em Florianópolis. Nesse dia, como a maternidade ficava perto de meu colégio, muita gente foi visitar Gregório no berçário e fazer bagunça nos corredores do hospital. Até aqueles que zombaram e falaram mal de mim pelos corredores foram – segundo minha mãe, parecia o intervalo, com tantos colegas uniformizados. Irmã Norma até os dispensou da última aula para que eles prestassem essa homenagem a mim.

A música que tocava quando deixei a maternidade era *November rain*, do Guns'n'Roses. Nossa música, minha e de meu pequeno anjo. Ele veio ao mundo para cuidar de mim, e tudo passou a fazer sentido em minha vida naquela hora, pela primeira vez.

Com meu filho Gregório na casa da bisa, 1995

Na apresentação do colégio – vestido de Rei Leão, 1995

Na casa da bisa, 1999

UMA VIAGEM

Acabo sempre vendendo o pato para minha mãe e ela me patrocina quando pode. A mais cara das brincadeiras foi quando resolvi que queria ser piloto de avião!

Fiz o curso teórico em Florianópolis e comecei a voar no aeroclube de Santa Catarina, a uns quarenta quilômetros de casa. Até aí tudo bem, não é? Só que os aviões eram superprecários, velhos. Imaginem um avião chamado "aeroboeiro", que foi fabricado na década de 1970 por uma companhia que fabricava geladeiras na Argentina e havia muitos anos falido. Pois era nesse avião que eu recebia instruções aqui em Santa Catarina.

Um belo dia, uma dessas máquinas maravilhosas parou de funcionar com um colega e o instrutor voando numa segunda-feira de manhã. Meu colega morreu no acidente e o instrutor se salvou por pouco.

Mas isso não me fez desistir! O aeroclube fechou para que o DAC fizesse a perícia; interditaram os hangares e a pista por quase dois meses, e quando conseguimos voltar a voar, em vez de

show aéreo em San Diego – Califórnia, 1999

dois aeroboeiros havia só um aviãozinho, e não me parecia o mais confiável.

Foi aí que rolou a conversa com a minha mãe: "– Mãe, quero ser piloto de avião, e não existe piloto que não fala inglês! Todas as abreviaturas da legislação aérea vêm de palavras em inglês, e seria muito legal se eu fosse fazer o curso fora do Brasil". Joguei a ideia no ar, e não sabia que ela ia concordar na hora em me mandar estudar fora. E, ainda por cima, ficar com meu filho, que na época tinha seis anos!

Quando Gregório tinha um ano de idade fui convidada para ir ao Japão trabalhar como modelo; mas não fui, por que ele era muito pequeno e eu tinha dezesseis anos. Não fui aprovada em uma entrevista com a psicóloga – ela pensou que eu não ia aguentar a saudade de meu filho, e resolveram não investir em mim naquele momento.

Então, agilizei as coisas. Como eu ainda era um pouco medrosa, convenci meu irmão a ir comigo. Fizemos os passaportes, tiramos os vistos de turista; só que ele resolveu não ir para terminar a faculdade, que até hoje não terminou. E eu parei e pensei por um instante; pensei em talvez ficar no Brasil; mas eu queria tanto seguir outra carreira que não fosse a moda!

Fui para San Diego com uma amiga, Marci. Eu podia garantir que tinha um inglês básico, e Marci jurava que falava espanhol.

Não me perguntem por que, mas fomos sem ter um lugar para dormir – como é que minha mãe permitiu isso, hein? Chegamos em San Diego no começo da tarde e fomos

Quando minha mãe foi me visitar nos EUA, ano 2000

alugar um carro. Foi quando eu descobri que não falava inglês e que Marci também não falava espanhol!

Foi um perrengue! A comunicação por telefones vermelhos na parede do desembarque era impossível; havia os aparelhos e ramais, um para cada empresa de aluguel de carros. Era um *Hi, hello*, e *Hola, ¿como estás?* para todo lado, e comecei a me preocupar.

Fomos até a calçada e entramos em uma van da Hertz, e foi quando conseguimos, por meio de mímica, alugar um carro vermelho automático. Mas não sabíamos dirigir automático! Foi divertido, aprendemos rápido.

Tínhamos outro obstáculo pela frente: achar um lugar para dormir. Eu tinha um mapa, e escolhemos morar em Ocean Beach. Na ingenuidade de meus vinte e um anos, pensei que fosse assim, chegar, alugar um apartamento e estacionar o carro na garagem do prédio.

Quando me toquei que não era assim, comecei a chorar no meio-fio da praia de OB. Faltava uma hora para escurecer, e apareceu um rastafári enorme vendendo incensos que mais pareciam kaftas de tão grandes. Na hora ele nos sacou e perguntou:

– *Are you lost*?

– *Yes* – respondi quando consegui entender o que ele havia dito.

– *Where do you live*?

– *I don't live*! – falei, e escorreu a última lágrima.

Encurtando, ele adivinhou que éramos brasileiras e nos levou a um condomínio onde só morava gente do Brasil. Muito engraçado, o prédio parecia a vila do Chaves! Um tempo depois, fui morar no apartamento 71 do mesmo prédio – como a bruxa do 71.

E logo fizemos amizade com toda a vila, e Natalie – uma carioca que conhecemos por lá, que ia embora em poucos dias – foi procurar hotel conosco e nos deu as melhores dicas de "por onde começar".

Minha vida foi divertida, saudável, responsável e tranquila durante os dois anos que passei em San Diego. Lá fiz grandes amigos, com quem mantenho contato até hoje. Estudei para ser piloto de avião, tive trabalhos incríveis, tipo: figurante e depois figurinista em programas de tevê, assistente administrativa numa prestadora de serviços de ar-condicionado, encanadora e eletricista, instrutora de modelo e manequim numa escola de atores, *hostess* e telefonista (um fiasco). Lá também vivi um grande amor – um americano descendente de iraquianos supertradicionais, que até falavam aramaico! Ryan tinha minha idade, tinha uma pizzaria, e com ele fiz meu primeiro pouso forçado num monomotor. E meu voo solo foi dia 13 de janeiro de 2000.

QUIMIOTERAPIA & BELEZA

Eu era figurinista do programa de tevê THE INVISIBLE MAN — Califórnia. Era fácil cuidar da roupa de um homem invisível! 2000

No filme BRING IT ON, fazendo figuração. EUA, ano 1999

Eu era tão magrinha que nem menstruava. Víamos muitos filmes. Eu dormia no meio de todos e acordava mais cedo para ver o fim. Passávamos tempo com minhas amigas Ana Virgínia, Manu, Melissa e Marci – todas de Florianópolis, embora morassem na Califórnia. Eu tinha uma coleção de miniaturas de aviões e *starfix* coladas pelas paredes de meu quarto; curtíamos os fins de semana jogando golfe, vendo futebol americano na tevê, *shows* aéreos, passeios de balão, restaurantes, parques de diversões, chuva de meteoritos, cassinos, esqui, eventos da comunidade iraquiana, México, compras e truques com cartas. Eu ensinava português a ele e ele me ensinava árabe.

Um dia, Ryan queria saber por que todos me chamavam de Flavinha. Expliquei que era o diminutivo de Flávia, e que todas as coisas poderiam terminar com "inha" e "inho".

Ah, uma pequena Flávia. Ele entendeu, e começou a praticar. Eu perguntava: "Como você fala 'pequena cadeira'?" Ele respondia "cadeirinha". Uma pequena mesa, "mesinha". Um pequeno sofá, "sofinha". Tentei ensinar que mesmo que sofá terminasse com "a", que parecia feminino, na verdade o sofá era masculino. Ele

Ana Virgínia e eu, num PA28 — meu avião de instrução na América. Ela garante ter sido o dia mais aterrorizante de sua vida. Fizemos dez pousos e aterrissagens, 2000

entendeu, então, seria um "sofinho"! Ai, caramba! Deixei-o pensando que era um "sofinho" mesmo, não conseguiria explicar que seria, na verdade, um sofazinho. De onde vem esse z?

Certificado de Voo Solo, 2000

Nós nos gostávamos mesmo; toda vez que eu surtava – às vezes mulheres surtam –, ele me levava rosas ou mandava entregar alguma pizza que inventava para mim. Eu, por outro lado, acordava-o de manhã para ir trabalhar – de onde eu estivesse ligava para ele, pois tinha que estar às 11 horas no restaurante para abri-lo; e ele me pedia cinco minutinhos todas as vezes. Eu lavava a roupa, cozinhava, cuidava bem dele!

Ryan e eu num shopping, antes do cinema, 1999

Ah, meus vinte e dois anos... Cheia de planos, eu queria levar Gregório para morar em San Diego conosco; queria fazer voos acrobáticos e, quem sabe, trabalhar para sempre na indústria do cinema. Queria comprar uma casa, um barco e um aviãozinho! Eu tinha certeza de que tudo ia dar certo; foi quando fui deportada.

Ryan nunca quis se casar, pois seus amigos e sua família achavam que eu talvez quisesse apenas a cidadania. E como eu gostava mesmo dele, fiquei naquela situação.

Eu o conheci na Little Sicily, a pizzaria que ele tinha, lá mesmo em OB. Jarrão, amigo de Florianópolis, era gerente lá e nos apresentou. Foi amor à primeira vista, pelo menos de minha parte. Ele era paciente com meu péssimo inglês e achava um charme eu falar como uma indiazinha. Para eu ganhar um beijo dele demorou umas três semanas, e lembro que foi numa festa. Ele inventou que de onde vinha, os lacres das latinhas de cerveja podiam ser trocados por beijos. Então, entregou-me o lacre da latinha dele, e assim, deu-me um beijo que nunca vou esquecer. Lembro o cheiro dele, a barba dele, seus dedos compridos e o jeito como dormíamos. Acho que nós nos dávamos bem porque não nos entendíamos direito. Só nos divertíamos!

Enquanto eu estava em San Diego ligava todos os domingos para meu pai, minha mãe e Gregório. Um belo dia, meu pai disse que eu teria mais um irmãozinho. Putz! Fiquei meio enciumada, já pensou se fosse uma menina? Eu não ia gostar nada disso. Então, nasceu Enzo, meu outro meio-irmão. Um menino lindo com uma boca imensa e olhos verdes. Acho que ele faz muito bem para meu pai, que tem idade para ser avô dele. Mas parece até que meu pai ficou mais jovem com o nascimento de Enzo.

Passados uns poucos meses chegou o Natal, e eu não tinha nada para fazer nos Estados Unidos. Tinha uma passagem de volta e retornei a Florianópolis. Passei Natal e *Réveillon* com minha família, e no começo de janeiro voltei aos EUA. Só que eles encrencaram comigo na entrada do país; o agente imigratório, um tal de John Walker (tipo uísque mesmo) me mandou para uma salinha, e lá fui eu.

Depois de um chá de cadeira, foram me interrogar. Perguntaram muitas coisas, e respondi numa boa; não encontraram registros de que eu houvesse trabalhado no país, pois nas empresas em que trabalhava todos gostavam de mim e faziam de conta que eu tinha visto de trabalho. Mas eu não tinha. Ligaram para minha escola e viram que eu não mentira; eu realmente estudava lá.

Foi justo em 2001 que fui mandada de volta para casa – será que foi mera coincidência ou meu curso de piloto, meu namorado iraquiano e o 11 de Setembro tiveram algo a ver com minha deportação?

Depois do dia todo sendo interrogada e carimbando minhas impressões digitais em diversos formulários, fui levada à *facilities*. Eu imaginava que o lugar aonde iam me levar fosse uma sala de espera qualquer para pegar o próximo voo e voltar ao Brasil. Só que aquele lugar era a cadeia para imigrantes ilegais; fui levada algemada, acorrentada na gaiola de uma viatura de sirenes ligadas.

O aeroporto inteiro me viu passar, e com certeza imaginavam que tipo de criminosa eu era. Que situação vivi! A neve caía do lado de fora. Foi a única vez que vi NY na vida. Tive que tomar banho na frente das guardas, vesti um modelito laranja com calcinha e sutiã enormes; tive que relacionar meus pertences, dinheiro... Recebi roupas de cama e me puseram em uma cela sozinha, com uma privada de inox; mandaram comida por baixo da porta: um iogurte não refrigerado, uma carne de hambúrguer com um molho de aspecto horrível, arroz e uma maçã. É claro que eu não comi nada, só chorava, berrava como uma criança, batia e chutava a porta. Às vezes me cansava e depois abria o berreiro outra vez.

Senti uma revolta imensa, pois eu não era uma criminosa; não havia roubado, nem traficado; tinha apenas um sonho lindo para viver.

Tarde da noite me levaram para o aeroporto, e ainda algemada, entrei no avião de volta a São Paulo. Minha amiga Ana Virgínia pegou em meu apartamento o que sobrou, pois eu o havia sublocado a uns brasileiros que provavelmente deixaram meu nome sujo e roubaram todas as minhas coisas. Ela encontrou umas caixas de anticoncepcionais em minha mudança e os usou durante alguns meses. Estavam vencidos, e hoje ela tem Ian Lucas, meu afilhado de coração.

Até hoje Ryan diz que vem me ver; já se passaram quase treze anos e nada. No começo, ele dizia que íamos nos casar e que me levaria para San Diego. Tínhamos tantos planos.

Na real, tive muitos planos com todos eles, meus queridos ex.

Minha vida não foi fácil, não, tenho muita história para contar. Muitas vezes quebrei a cara, mas vivi intensamente. Pena que não dá para contar tudo desta vez.

Cheguei ao Brasil superperdida; queria ter ficado em terras gringas! Então, acabei voltando para o *showroom* de meu pai, onde trabalhara desde meus treze anos. Não era fácil trabalhar com ele, e algumas vezes resolvi sair e tentar outra cidade. Eu ia e vinha, nunca tive muita paciência para morar em Florianópolis.

Morei junto, trabalhei junto, aguentei bastante coisa e vivi grandes amores, casos, rolos. Também morei no Rio poucos meses e em São Paulo durante quase seis anos. Curti essa vida louca e aprendi, trabalhei, aproveitei, errei...

Fui *workaholic*, *alcoholic*, responsável e irresponsável. Chorei e ri, tive medo, cansei mesmo.

Eu e Ryan esquiando em
Big Bear – CA, 1999

Em meu aniversário de
22 anos, 1999

UM RELACIONAMENTO COMPLICADO

Depois de seis anos com uma pessoa que não admitia falar de Deus ou igreja dentro de casa, a gente vai perdendo a espiritualidade. Meu ex era ateu e só acreditava em física quântica, e eu, que fui criada em colégio católico e frequentava a igreja luterana, estava acostumada a rezar e me sentia uma pessoa espiritualizada antes desse relacionamento.

Quando ainda morava em Florianópolis ele foi me ver, e fomos à casa de praia; nesse fim de semana pedi a ele que tomasse cuidado, pois eu estava trocando de anticoncepcional e corria o risco de engravidar. Só que ele não se cuidou, e lembro exatamente o momento em que engravidei dele.

Quinze dias depois me vi estrebuchando de vomitar, com meus peitos doloridos. Na hora saquei: estou grávida. Nesse mesmo momento me senti mãe novamente. Sentia cheiros deliciosos, sonhava com o rostinho de meu bebê, que teria olhos verdes como os meus e os dele. Então, fui conversar com ele à noite.

Disse a ele que devíamos ter sido mais cuidadosos e que ele poderia ter evitado essa gravidez, mas que, apesar dos pesares, eu estava feliz com essa condição. Sentia-me mais bonita e cheia de vida.

Só que ele não pensava como eu.

Comprou uma passagem para eu ir a São Paulo e passar por um médico para abortar, pois não ficaríamos juntos.

Minha mãe teria que arcar com esse filho, eu seria mãe solteira pela segunda vez. Só que com dois filhos de pais diferentes, e ficaria sozinha.

Foi a experiência mais assustadora da minha vida. Ele me levou a uma clínica fundo de quintal, onde amarraram meus braços e pernas e me fizeram uma curetagem, enquanto eu chorava como uma criança.

Aceitei, perdoei, mas nunca esqueci. Toda vez que pude eu me vinguei, agindo até contra meus princípios. Traí, menti, fui malvada, malcriada, me entorpeci para aguentar aquela situação e me fiz de louca. Para não criar atritos, enquanto ele viajava eu aproveitava para ficar jogada o dia todo na frente da tevê assistindo a canais abertos. Aproveitava para ver meus amigos e fazer baladas. No ato da separação, quando fui julgada por ele e por todos os "nossos amigos", não tive coragem nem forças para me justificar. Nunca contei a ninguém sobre esse aborto. Será que as pessoas entenderiam se eu houvesse contado na época?

Durante esses seis anos fiz tudo que ele queria que eu fizesse. Ele tentou me mudar em vários aspectos, tanto físicos quanto intelectuais. Eu não podia ver os programas de tevê de que gostava, pois me emburreceria; tinha que fazer os programas dele; meus amigos eram burros como eu; minha família era péssima e minha cidade um buraco. Mas eu não tinha culpa de ter nascido lá, a culpa era do meu pai e da minha mãe, e ele era meu salvador.

Sim, ele foi ríspido, dominante, pesado, grosso, mal-humorado, egoísta, insensível; mas também me ensinou muita coisa. Ensinou-me sobre arte, filosofia e fotografia.

Não posso negar que tivemos bons momentos juntos, que eu o amei de verdade, mas, hoje, faria tudo diferente.

Fui com meu ex para Londres também, mas ele sempre estava brigando comigo

Primeira vez que vi a neve – em Paris. Esta é a minha camiseta preferida, 2008

NOVENA

No começo de 2012 fiz um programa espiritual de sessenta e três dias, de um livrinho que ganhei de minha amiga Ana Virgínia. Ela dizia que era muito poderoso e que ia me fazer bem. E, de brinde, poderia fazer um pedido, que se realizaria. Veja que interessante.

Pensei: esse negócio de pedido é pegadinha... Sei que se eu pedir algo específico, virá para mim; já pensou se eu pedir algo errado? Vou deixar na mão de Deus. E só pedi que minha vida mudasse. Eu não estava feliz do jeito que as coisas andavam; estava infeliz profissionalmente, amorosamente, pessoalmente, visualmente, mentalmente, totalmente!

Antes de o livrinho que se chama *Programa espiritual* terminar, antes dos sessenta e três dias, apareceu-me um carocinho! Foi o tal carocinho que deu início a tudo...

Poxa, eu pedi uma mudança em minha vida e Deus me mandou um câncer? Podia ter me mandado uma viagem para o exterior, um prêmio da loteria, um marido novo, mas um câncer eu não esperava! Meu ex conseguiu, rogou-me uma praga certeira.

Será que vocês me entendem se eu disser que o câncer veio como um presente? Pode soar como um pensamento dissimulado, mas foi isso mesmo. A doença me fez enxergar tanta coisa que eu não via! Claro que enxerguei meses depois, passada a revolta.

O câncer filtrou as pessoas da minha vida, afastou quem não importava e quem me fazia mal. Hoje, sou forte o suficiente para passar por qualquer coisa; fiquei mais bonita, as coisas em minha vida hoje fazem sentido, tipo: eu não sabia por que tinha que trabalhar com moda se me parecia tão fútil, superficial e rasa.

Hoje sei que se trabalhei mais de vinte anos com moda, em todos os segmentos do setor: comercial, publicitário, *marketing*, desenvolvimento, produção... isso faz sentido!

Aprendi o bastante para poder realizar este projeto e ajudar milhões de pessoas!

Tenho bom gosto, senso estético apurado, sei lidar com mulheres, vendo bem o produto, sei produzir e amo o que faço! Hoje, amo o que faço! A partir de então, a moda trabalha para mim.

Fiz alguns encontros, que as pessoas chamam de palestras – eu chamo de encontros mesmo. Sou convidada para falar a um grupo de mulheres que estão enfrentando o tratamento, e outras que não estão passando pelo câncer, mas que têm suas adversidades cotidianas com que lidar, e consigo inspirá-las e mostrar que a vida é linda, que somos lindas, que aprendemos com os obstáculos que aparecem para cada um de nós, e que precisamos de uma boa autoestima se quisermos sobreviver!

Foi incrível sentir a reação das pessoas às coisas que eu falava. Algumas barbaridades, como o namorado que me deixou depois do diagnóstico, ou o médico que trocou minhas próteses sabendo que eu tinha um caroço, deixava-as chocadas, e eu ouvia um burburinho (Ohhhh... Como é que pode?). Outras vezes eu dizia algo engraçado e muitas delas se identificavam, tipo: ficamos com cara de bicho de goiaba sem *make up*; ou vomitei como o exorcista naquela noite. Elas riem e sentem que podem passar por tanta coisa se tiverem força também!

Veja meu caso: eu ia ficar careca, gorda, cheia de efeitos colaterais... Coitadinha! Mas pensei: coitadinha uma pinoia! Quero sair à rua e ser notada como uma linda mulher que está vencendo uma batalha, e não uma coitadinha que está morrendo, definhando, se escondendo; porque isso não tem nada a ver com minha personalidade! Sempre fui forte, tive sorte, sempre batalhei pelas minhas coisas, meus projetos sempre davam certo, sempre fui dedicada com aquilo em que eu realmente acreditava.

Na real, sempre tive mais sorte que juízo!

O DIA DA VERDADE

Eu estava linda e faceira com meus peitos novos, havia acabado de trocar minhas próteses quando meu médico me chamou ao consultório para falar sobre aquele carocinho que havia sido retirado: "Não era o que todos pensavam".

Ai! Que estranho... Ele ligou para que minha mãe me acompanhasse, e quando chegamos ao consultório, um mastologista estava nos esperando. Tinham uma cara péssima; eu via que estavam arrasados, e deram muitas voltas até me contar o que exatamente queriam comigo.

O cirurgião plástico me falou:

– Estamos muito surpresos; a responsável do laboratório mandou para outros laboratórios também porque não dá para acreditar. Pela sua idade, e por não existir casos em sua família, era muito pouco provável uma coisa dessas...

Até então, eu não estava entendendo nada.

– Se Deus quiser você vai ficar bem, vamos marcar nova cirurgia e você vai fazer um tratamento. Muitas mulheres se curam. Você já passou por muita coisa na vida, vai ter que ser forte mais uma vez.

Minha mãe permanecia calada, e já comecei a chorar sem saber exatamente o que eu tinha.

– O tratamento é de praxe, quimioterapia, radioterapia… Inevitável fazer – eles me explicaram.

Eu sou *fiasquenta* mesmo… joguei-me no chão, gritei, passou muita coisa pela minha cabeça.

– Não! Quimioterapia é para quem tem câncer – falei. – Deve haver algum engano aqui!

Eu tremia.

– O material que foi retirado de sua mama durante a cirurgia plástica foi mandado para quatro laboratórios de análises diferentes. Infelizmente, Flávia, você tem câncer.

Foi uma confusão naquele pequeno consultório, todo mundo falando ao mesmo tempo, telefone tocando, eu chorando, secretária me levando água, aquilo não estava acontecendo comigo!

Muitas imagens surgiam em minha cabeça: mulheres de lencinho, inchadas de remédio, carecas, em cima de uma cama de hospital, soro, perucas, caixão, gente chorando, sofrendo, igreja, sangue, remédios. A palavra quimioterapia martelava em minha cabeça – eu não tinha ideia de como se "tomava" aquela tal de quimioterapia. Perdi minha sogra de câncer, vi o sofrimento dela de pertinho; dela e de todos a sua volta. Puta, que merda, a praga que meu ex rogou para mim pegou de verdade! Ele queria muito que eu morresse de câncer, falou diversas vezes!

QUIMIOTERAPIA ● BELEZA

Enquanto eu chorava como uma criança eles me explicaram todo o procedimento: primeiro, eu teria que esperar mais uns vinte dias para fazer a nova cirurgia: a remoção de meu peito direito, a própria mutilação. Eles me explicaram que, para o meu bem, eu ficaria apenas com uma mama, e após o tratamento, quando o oncologista me liberasse, faríamos a reconstrução.

Mas, se haviam tirado meu tumor, para que tirar a mama inteira? Já foi tirado, por favor, não me deixem sem um peito tanto tempo! Eles me garantiram que era necessário em meu caso, e retirariam até minha auréola.

Perguntei:

– Mas a quimioterapia é aquele tratamento que faz os cabelos caírem, certo? Mas tem gente que faz o tratamento e o cabelo não cai, não é? Eu não vou perder meus cabelos, existe uma chance de eu ficar com eles?

Um médico de cada lado me levantando do chão e me sentando na cadeira disseram que eu iria mesmo perder os cabelos, que o medicamento usado na quimioterapia para câncer de mama faz os cabelos caírem. Mas eu ia ficar muito charmosa usando lencinhos, turbantes...

Era o que eu não necessitava ouvir: charmosa de lencinho? Eu nunca vi uma mulher de lencinho levar uma cantada na rua! Elas chamavam a atenção por estar morrendo, fadadas a um trágico fim, sofridas, com a carinha redonda de tanto remédio. Que charme havia naquilo?

Sem um peito e sem cabelo? Desculpe, não vai rolar! Perguntei o que aconteceria comigo se eu não fizesse o tratamento; eu não podia ficar feia, não entrava em minha cabeça isso... Eu trabalhava com moda, havia acabado de ser contratada por uma empresa muito bacana, e antes de começar esse novo projeto pedira alguns dias para ir a Florianópolis trocar minhas próteses e tirar um carocinho que havia surgido na lateral de meu seio, nada de grave, os médicos me garantiram.

Não fazer o tratamento? Isso não era opção; se eu me recusasse a fazê-lo, morreria na certa.

O tratamento e minha vida eram o que realmente valia. Então, marquei a cirurgia, e fosse o que Deus quisesse.

DEZ DIAS DE TRISTEZA PROFUNDA

Ao sair do consultório eu já sentia os sintomas da quimioterapia: fiquei fraca, enjoada, vomitava...

Passei dez dias dentro de casa chorando sem parar. Fiquei assimilando as coisas, contei com vergonha para poucas amigas, pedi desculpas para a marca que havia me contratado, mas eu não voltaria para São Paulo por motivo de saúde.

Minhas tias se desesperaram; uma delas ficou um dia sem andar, não tinha forças nas pernas; minha avó quase teve um troço; meu pai bateu o carro, meu filho dormiu comigo todos esses dias para me confortar; minha mãe se mostrava forte para me dar forças; eu não queria falar com ninguém

QUIMIOTERAPIA ⊘ BELEZA

e só imaginava como ficaria se usasse uma peruca durante esse tempo, será que as pessoas iam reparar que eu estava com câncer? Será que conseguiria esconder essa doença?

Caramba, devo estar pagando meus pecados, mereço isso com certeza! Passa tanta coisa na cabeça da gente numa hora dessas... Tentamos descobrir os porquês, os carmas, fazemos uma regressão e colocamos toda a vida numa balança; lidamos com a culpa e o perdão, com a justiça e a injustiça, o certo e o errado... e vi quantos erros cometi, e me perdoei. Foram dias passando por esse exercício.

Próximo passo: eu não vou ficar sem peito e sem cabelo. Desculpem, mas vou procurar uma segunda opinião. Liguei para Felipe, meu amigo de infância, médico oncologista. Passei meus exames por *e-mail* e ele se assustou. Perguntou por que eu havia feito uma cirurgia plástica sabendo que tinha um carocinho? Eu havia feito ultrassom e mamografia, mas não uma biopsia.

Mostrei os exames para alguns médicos, e o cirurgião plástico me operou mesmo assim. Era uma bolinha bem redondinha, encapsulada, maleável, não enraizada... Parecia uma glândula inflamada ou até mesmo um sangue coagulado.

Eu não era uma médica, estudada, mas, mesmo assim, me senti uma irresponsável.

– Tá, Cunha, não vim aqui para ser criticada, vim pedir ajuda!

Como a especialidade dele é radiologia oncológica, ele me indicou a dra. Adriana, que foi quem me deu esperanças de superar todo o tratamento com mais leveza.

Ela aparenta ter minha idade, linda, antenada, sobretudo mulher; colocou-se em meu lugar, viu meu desespero de não querer ficar sem peito e sem cabelo durante tanto tempo e me propôs outra forma de tratamento. Eu passaria por uma mastectomia radical, isto é, a retirada das duas mamas, e ela preservaria minhas auréolas. Eu teria que escolher um cirurgião plástico para fazer minha reconstrução imediata.

Imediata? Quer dizer que posso passar pelo tratamento peitudinha? Foi quando comecei a chorar de emoção. Ela me garantiu que meus peitos ficariam lindos, explicou que muitas mulheres que tem câncer de mama, quando retiram uma das mamas apenas, correm o risco de ter reincidência alguns anos depois na outra; e se tirássemos as duas, além de esteticamente ficar mais bonito, eu não precisaria me preocupar com câncer de mama nunca mais. Porém, precisaríamos sempre acompanhar a saúde das minhas aureolas. Preservaremos, mas teremos que ter cuidado.

Só faltava ela me dizer que meus cabelos não cairiam! Ela me disse que o primeiro passo era a mastectomia – a cirurgia de retirada das mamas que ela mesma faria. Minutos depois dessa cirurgia ela me entregaria ao cirurgião plástico, que faria minha reconstrução, no mesmo centro cirúrgico. Um mês depois, bem recuperada, eu passaria pelo oncologista, que faria o protocolo de meu tratamento. Mas que ela iria falar com ele para que não judiasse muito de mim... Ri, e então, acreditei que o tratamento poderia não ser aquele bicho de sete cabeças que eu havia pintado em minha mente.

QUIMIOTERAPIA ● BELEZA

Laboratório Médico

Nome: Flavia Scheneider Flores Lopes
Data nascimento: 30/06/1977
Origem: Consultório
Médico solicitante: Dr(a) Adriana Magalhães De Oliveira Freitas
Material: Bloco de parafina IDAP 11314

IMP 2125100597
Data: 31/10/2012

LAUDO DESCRITIVO

- Realizado o método de imunoperoxidase indireta com técnica avidina-biotina peroxidase (ABC) e recuperação antigênica através do calor úmido, utilizando-se os seguintes anticorpos primários:

PAINEL DE ANTICORPOS	Resultados
Receptor de Estrogênio, clone SP1.	POSITIVO, padrão nuclear, em menos de 5% das células neoplásicas. Intensidade 1+ / 3+
Receptor de Progesterona, clone SP4	NEGATIVO. Controle interno positivo.
Antígeno de Proliferação celular Ki-67, clone SP6.	POSITIVO, padrão nuclear, em 23% das células neoplásicas
Oncoproteína c-erbB-2/Her2-neu, Policlonal	POSITIVO (=3+).
E-caderina, clone 4A2C7.	POSITIVO, padrão membrana.

Interpretação c-erbB-2/Her2-neu:
- Ausência de imunocoloração na membrana citoplasmática das células neoplásicas = escore 0 = Negativo.
- Imunopositividade fraca e incompleta, sim em parte da membrana citoplasmática das células neoplásicas = escore 1+ = Negativo.
- Imunopositividade fraca ou não uniforme em toda a membrana citoplasmática, em pelo menos 10% das células neoplásicas ou intensa e completa em menos de 30% das células neoplásicas = escore 2+ = Duvidoso. Indicada confirmação por FISH.
- Imunopositividade intensa em toda a membrana citoplasmática, em mais de 30% das células neoplásicas = escore 3+ = Positivo.

- Conclusão:
  - CARCINOMA DUCTAL INVASIVO DA MAMA (E-CADERINA POSITIVA) REVELANDO POSITIVIDADE FRACA (MENOS DE 5% DAS CÉLULAS NEOPLÁSICAS) PARA RECEPTOR DE ESTROGÊNIO, NEGATIVIDADE PARA RECEPTOR DE PROGESTERONA, E POSITIVIDADE PARA ONCOPROTEÍNA c-erbB-2/Her2-neu. Ki-67 POSITIVO EM 23%.

Dr. Horácio S. Chikota
CRM - SC 5.592
Médico Patologista
Membro titulado da S B Patologia
Membro titulado da S B Citopatologia
Associado da *International Academy of Pathology*

*Laudo de meu diagnóstico:
carcinoma ductal invasivo da mama*

Meu namorado morava em outra cidade e nos falávamos por *Skype* todos os dias, mas não tive coragem de lhe contar. Então, quando ia para o computador, passava gelo no rosto para desinchar, maquiava-me e tirava, não sei de onde, um sorriso amarelo para poder mostrar minha carinha na câmera; às vezes, eu não aguentava e discretamente lágrimas rolavam, mas consegui esconder minha situação até pegar um avião para encontrá-lo.

Finalmente, chegou o dia de vê-lo; eu não sabia como ele reagiria, mas sua ex-mulher também passara por um câncer dez vezes pior do que o meu, na cabeça. Ele também, por ser um homem mais velho, poderia me aconselhar e me tranquilizar; mas eu não tinha certeza de que ficaria comigo, já que, apesar de fazermos planos de morar juntos, namorávamos havia poucos meses.

Eu lembrava os momentos felizes que passamos juntos, o dia em que ele me pedira em namoro – estávamos num barco e ele disse que tinha certeza de que eu era a mulher ideal, que era inteligente, madura, e queria saber se eu não me importava de morar tão longe de minha família, e que essa mudança teria que ser feita logo, pois não tínhamos que esperar.

Ele ficou chocado, falou um monte de palavrões, revoltou-se. Contou todo o processo de tratamento e cura de sua ex-mulher, como ela sofreu, e disse que ficou ao lado dela durante todo esse tempo. Disse que ficaria ao meu lado, que estaria comigo durante a mastectomia e que eu poderia contar com ele; combinamos que durante o tratamento eu ficaria em casa, bem resguardadinha, e ele iria me visitar a cada três semanas. Abraçou-me, e eu me senti tão protegida! Como fiquei aliviada!

Imaginei que ele fosse me deixar, pensei que pudesse não querer passar por isso comigo. Eu me senti envergonhada por ter pensado tanta besteira.

NA CONTRAMÃO

Chegando a minha casa, muito mais tranquila que no dia em que viajara, comecei a me programar para fazer todos os exames pré-operatórios, tomografias, ressonâncias e tudo o mais. Tudo estava melhor, eu já aceitava o tratamento e a mastectomia. Mas não aceitava o fato de ficar feia; aquela imagem de paciente de câncer coitadinha não me saía da cabeça.

Imagine eu, vaidosa como sou, tendo que usar um lencinho na cabeça, ficando pálida, com a carinha redonda, fraquinha, dentro de casa resguardada? Hummm, acho que não! Minha médica me alertou sobre isso tudo que ia acontecer: queda de cabelo, fraqueza e inchaço; ela me disse que eu ia engordar, mas que era natural durante a quimio, que não precisava me preocupar, pois depois de tudo acabado eu voltaria a ter cabelos, emagreceria e poderia tomar sol novamente.

Eu não me conformava com isso; não tive medo de morrer, mas se ficasse feia e gorda seria o fim para mim. Foi então que decidi ir na contramão: fiz uma pesquisa no

Google: quimioterapia e beleza; nada. Beleza durante o tratamento; nada. Quimioterapia e autoestima; nada. Artifícios de beleza e câncer; nada. Nada de nada? Como é que pode? Tentei então em inglês; nada. Pensei que talvez não tivesse procurado direito, relaxei. Amanhã procuro novamente, pensei. Precisava aprender a me produzir durante a químio, queria saber como poderia amarrar o lenço, como combiná-lo, fazer um estilo bacana, sei lá... Queria aprender a colar os cílios postiços quando não tivesse mais nenhum fiozinho, saber se poderia usar qualquer maquilagem, como lavar uma peruca; afinal, eu não queria ficar em casa trancada, queria me divertir, oras. A médica me disse que eu deveria ficar sem trabalhar, não me estressar. Então, estava de férias, não é? Meu lado Polyanna de menina-moça dizia que eu poderia aproveitar a vida. Pensei: nunca em minha vida, desde os treze anos, parei de trabalhar! Veja só que oportunidade! Férias! *Cancer Holidays*.

Eu sempre gostei de arte, tentei vestibular duas vezes para Artes Plásticas e uma vez para Artes Cênicas quando tinha dezessete, dezoito anos, mas não passei; conversei com meu namorado, e ele disse que tinha uma câmera bem bacana e ia me dar. Que legal, vou fazer um trabalho pessoal, tenho tempo...

Primeiramente, pensei em fazer um trabalho fotográfico com meu novo olhar sobre as pequenas coisas que eu já percebia de uma forma diferente. Sairia à rua fotografando paisagens, gravetos, sombras; pensei que conseguiria registrar o calor do verão que estava por vir, o amor que eu sentia em meu coração. Quando ele viesse novamente com a câmera, era isso mesmo que eu ia fazer!

Eu tinha apenas a câmera do IPhone, e comecei a fazer autorretratos sem blusa. Nos primeiros retratos percebe-se quão triste eu estava: cara inchada de choro, nariz grande de tanto papel higiênico usado para assoar e limpar as lágrimas que rolaram. Meu *hobby* foi fotografar meu dia a dia, meu corpo e toda a evolução pós-operatória.

RECONSTRUÇÃO

Dra. Adriana e eu conversamos muito sobre a reconstrução e quem iria fazê-la. Descartamos o médico que queria que eu ficasse sem a mama, é claro! Foi aí que optamos pelo dr. Henrique. Ele é jovem, e meus pais são muito amigos dos pais dele. Eu me senti supertranquila com a escolha.

Fui conhecer esse médico, então; ele foi superpaciente comigo. A consulta demorou umas duas horas, ele me mostrou muitas fotos de outras mastectomias e eu me assustei bastante com o que vi; havia peitos um pouco tortos, uns que rejeitavam a prótese e então ficavam sem; alguns sem as auréolas, pois estavam já em estado avançado e precisaram ser removidas; ai, que medo senti; pensava que o resultado seria mais bonito.

Ele mostrou qual prótese ia usar em mim. Na real, não é uma prótese como as de cirurgia estética, e sim um extensor com válvulas. Como assim, eu teria que ficar com essas válvulas? Para que esse troço? Ai, que nojo, que nervoso.

Comecei a chorar mais uma vez, natural...

Então, ele me explicou tudinho: no dia da mastectomia, a dra. Adriana vai retirar minhas duas mamas com muito cuidado; vão sobrar apenas milímetros de carne e gordura embaixo da pele. Esses extensores parecem duas minipizzas de silicone; nas laterais ficam as válvulas (sim, elas ficam embaixo da pele mesmo), e duas semanas depois da cirurgia essas próteses são preenchidas com soro fisiológico e meus peitos tomam forma. Na real, fico duas semanas despeitada, mas ok, não é?

Vi as fotos de outros casos como o meu: peitos vazios, peitos cheios, onde se abre, como evolui a cicatrização, um mês depois da cirurgia, dois meses depois, três meses depois... enfim, ele me preparou direitinho para a cirurgia.

Prometeu que deixaria meus peitos bem bonitos; ele tinha essa preocupação, pois sou jovem, e a dra. Adriana também queria que todo esse processo fosse o menos traumático possível para mim.

Assim como os cabelos formam a moldura do rosto da mulher, com os seios há uma forte ligação sentimental; é nossa feminilidade, nossa sensualidade. Imagine como é difícil dar um abraço e não ter uma das mamas. Eu me sinto uma mulher biônica por causa da mastectomia; não é feio, mas é incômodo, não existe sensibilidade ao toque, é duro, é gelado, tenho válvulas nas laterais, eles estalam às vezes. Mas vou me adaptar. Juro, sou muito feliz por ter feito a reconstrução e preservado as auréolas. Haja autoestima para ficar sem peito! Sei que é a realidade de muitas mulheres, mas existe a reconstrução no final do tratamento, e faz muito bem fazê-la.

QUIMIOTERAPIA & BELEZA

MANUAL PARA QUEM DESCOBRE QUE TEM CÂNCER

(Texto de autor desconhecido, modificado por mim)

• Nem somos tão poucos assim, portanto, primeira lição: não é privilégio só seu! Para 2030 se esperam 27 milhões, gente pra caramba.

• Desespere-se. Chore, grite, xingue o mundo, faça o que quiser – é uma reação mais que natural se revoltar, você tem câncer. Só não mate ninguém e não gaste todo seu dinheiro, pois vai lhe fazer falta depois.

• Ore! Ter fé é essencial.

• Tem amigos? Conte com eles. Você saberá de antemão quais são os de verdade. É tipo uma promoção: ganhe um câncer e receba inteiramente grátis amigos de verdade para sempre. Eles são poucos, e estarão com você para o que der e vier.

• Sabe tudo sobre medicina? Prepare-se, você vai saber mais ainda! Novos exames, novos remédios, novos médicos. Veja que animador! Seu celular vai passar a ter números assim: dra. Adriana, dr. Marcelo, CEOF, Bionuclear, Oncologia do hospital tal... Agenda cheia é assim!

• E por falar em agenda cheia... seus dias não serão mais aquele puro tédio: exame de manhã, hospital à tarde, medicação à noite...

- Quer emoção? Abra os laudos! Pense numa carga de adrenalina.
- Nunca teve coragem de radicalizar e mudar seu penteado? Seus problemas acabaram, você vai se ver como jamais imaginou.
- E por falar em pelos... vai ficar um tempo sem ver lâminas e ceras. Depilar o quê?
- Você vai usar lenços, perucas e acessórios, vai aprender na marra a ter estilo.
- Nunca mais vai ter medo de coisas bobas.
- Nunca mais vai se estressar com coisas pequenas. Elas são pequenas mesmo.
- Você vai ver que é mais forte do que imaginava, mais resistente.
- Você pode tudo! Quer brigadeiro? Pode. Quer panquecas? Pode. Quer uma roupa nova? Maquilagem? Cinema? Pooodeeeeee. Mas, acredite em mim, coma coisas saudáveis para não ficar com aquela carinha redonda. Pouco sal, pouco açúcar e pouco carboidrato.

POR QUE EU?

Caramba! Eu devo ter sido um carrasco na outra vida! Sempre ajudei tanta gente, muita gente que nem merecia... Sempre fui muito justa, não julgo as pessoas e tiro a roupa do corpo para ajudar quem precisa. Então, só pode ter sido alguma coisa que eu fiz em outra vida! Por que não lembro o que poderia ter feito de tão grave. Aprontei em meu casamento, mas eu tinha meus motivos; quebrei o braço de meu irmão ao jogá-lo para fora do sofá, mas não tive a intenção; e, afora isso, nunca fiz mal a ninguém!

Não foi isso... Deve ter sido a bebida, festas, e outras coisinhas. Pode ser, dizem que isso tudo causa câncer. Agrotóxicos, telefone celular, micro-ondas? Será que foram aquelas dietas malucas que eu fazia? Ou o hormônio que o frango ingeriu para crescer mais rápido?

Putz, foi minha separação! Momento muito difícil em minha vida, eu me sentia culpada, todos os meus "amigos", ou melhor, amigos do casal, ficaram contra mim, e como não me interessava fazer mais intriga, fiquei calada e não quis tentar me defender. Só faltou eu apanhar. Talvez se houvesse apanhado não houvesse adquirido um câncer. Ele desejou tanto que eu tivesse câncer e sofresse até a morte... Falou isso diversas vezes.

A vida é cíclica, acredito em carmas, e o que fazemos pagamos. O corpo manda a conta das besteiras que fazemos, mas, para ser presenteada com uma doença dessas...

Profissionalmente engoli muitos sapos e levei rasteiras de quebrar a cara no chão, de pessoas que eu considerava exemplos. Fui vítima de fofocas, intrigas, mentiras. Pessoas em meu trabalho quiseram me dar um tiro de misericórdia ao me ver tão fraquinha por causa da separação e me puxar o tapete. Aproveitaram-se de minha fragilidade e eu nunca revidei.

Você acha que isso tudo guardado no peito não causa câncer?

E as pessoas que ajudamos, por que são as que mais nos fodem?!

Será que essa falha que eu tenho, de não conseguir me posicionar, é que me fez tanto mal? Tanta injustiça comigo me comeu por dentro?

Hoje, aprendi que dizer não faz bem! Eu concordava com tudo para não prejudicar, para não criar inimizades, e sempre aceitei as pessoas como elas são, justifiquei seus erros e aprendi a conviver com todo tipo de gente, até mau-caráter.

Dizer não faz as pessoas nos respeitarem. Você não perde ao dizer não, acredite. Eu aprendi isso, mas ainda não sei fazer direito. Quem sabe, um dia aprendo? Porque não quero mais ser oprimida, não mereço isso. O câncer nos dá a oportunidade de mudar, enxergar, e seria muita burrice não aproveitar esse presente.

Esse caldeirão de emoções: julgamentos, humilhações, tristeza e vergonha ferveu dentro de meu peito, e com meu estilo de vida, preocupações, estresse, falta de amor-próprio, fez crescer o câncer dentro de meu peito.

Meu cabelão antes do câncer, 2012

Será que tenho créditos agora? E minha vida, então, será cheia de alegria depois que eu passar pelo câncer?

Tomara.

QUIMIOTERAPIA ● BELEZA

AS PESSOAS SUMIRAM

Tenho certeza de que as pessoas não fazem isso por mal, mas justamente por não saber o que falar e como agir, nossos amigos tendem a não querer nos ver. E isso é natural! Poucos vêm nos dar um abraço.

Ficamos revoltados, agressivos, dramáticos. Deve passar pela cabeça de nossos amigos: "Se eu ligar e perguntar: 'Oi, Flávia. Tudo bem?', é capaz de ela responder: 'Tudo bem? Tudo bem? Eu estou com câncer, como pode estar alguma coisa bem? Estou morrendo, infeliz!'".

Hummm... Isso deve dar uma preguiça para quem pensa em nos visitar!

Admito que agi histericamente nos primeiros dias; depois do diagnóstico, surtei, me desesperei. Natural quando descobrimos uma doença assim tão monstruosa.

Na real, eu também me sentia envergonhada, não queria que as pessoas me olhassem com cara de velório. Soube de algumas pessoas que choraram por mim, e isso me assustou demais; será que vou morrer mesmo?

Coitadinha de mim. Imaginei-me numa caminha de hospital com balões ao lado, um rádio tocando uma música calma, antiga; eu estava lá sozinha, conectada a soros, fraca, com uma ferida nas costas por não conseguir mudar de posição... É isso que todo mundo achava que ia acontecer comigo? Por isso não iam me visitar e choravam?

Percebi que as pessoas não faziam por mal quando, durante alguns dias, ninguém me ligava. E então, resolvi ligar para uma das minhas melhores amigas. Foi assim:

– Oi. Melissa, tudo bem?

– Oi, amiga!

Antes de ela me perguntar se estava tudo bem, quis poupá-la, eu perguntei logo:

– Você não soube que estou com câncer? Ninguém lhe contou?

– Amiga, fiquei sabendo, mas não sei o que dizer. Fiquei chocada, e ainda estava digerindo a notícia para poder ligar.

Melissa é uma grande amiga, morou comigo em San Diego e é uma das pessoas mais amáveis que conheço. Percebi que se ela não conseguia conversar comigo, imagine quem não tinha essa aproximação e intimidade.

Foi aí que entendi: as pessoas não sabem lidar com essa dor.

A CIRURGIA

No dia da cirurgia eu tremia. Meus amigos Ana Virgínia e Murilo estavam lá para me dar um abraço. Estavam também minha mãe, Cynthia, ex-mulher de meu pai e ele. Quando a enfermeira me chamou para a internação, meu pai questionou: "Você não tem que fazer uma lavagem? Preparação?" Ri. "Como assim, pai? Vou operar as tetas!"

QUIMIOTERAPIA ● BELEZA

Foi tão bom ver minha família junta mais uma vez, ou pela primeira vez em quase vinte e cinco anos de brigas. As coisas acontecem de forma tão surpreendente que pega todo mundo de surpresa.

Roger, um ex-marido, médico-cirurgião, disse que acompanharia minha cirurgia, que entraria pela porta do centro cirúrgico e estaria ao meu lado.

Pude perceber o sorriso de minha família e das pessoas que me amam quando os exames indicaram que o câncer não havia passado para outros órgãos; e mais ainda quando minha médica disse que a cirurgia havia sido um sucesso e que meus seios ficaram lindos!

A cirurgia demorou oito horas e foi supertranquila. A última coisa que recordo, antes de o sedativo fazer efeito, foi de olhar para a porta e esperar Roger entrar para me tranquilizar; ele nunca me deixaria morrer! Foi assustador ver minha família e meus amigos chorando por mim. Isso me destruiu. Meu filho, Gregório, de vinte anos (isso mesmo, vinte anos) falava do Gianecchini, que passou por tudo isso, e que depois voltou a fazer novela. Ele vivia me lembrando que "o câncer não é um bicho de sete cabeças, quando descoberto a tempo".

Roger não apareceu na cirurgia. Foi no outro dia me levar açaí e chocolate; disse que não se sentia confortável para acompanhar de perto, falou alguma coisa sobre meus pais... alguma coisa sem pé nem cabeça. Tudo certo!

Como se não bastasse a cirurgia, a químio, a rádio, os cabelos caindo... mais uma surpresinha: teria que ficar com dois drenos durante cinco dias! Como se isso não fosse suficiente, teria que ficar comprimindo essas pequenas sanfonas para que todo o sangue e pus saíssem canos afora. Nada agradável: saíam duas mangueirinhas por baixo de minha pele e caíam naqueles drenos transparentes. Muito ruim ver aquele sangue se coagulando e o incômodo de ter que carregar a tiracolo aquela bolsinha de lá para cá. Afora isso, eu usava uma faixa em cima do busto para que as próteses ficassem no lugar certo e não se plantassem uma para um lado e outra para o outro.

Meus pais no dia da mastectomia, novembro de 2012

Eu chegando ao quarto após a cirurgia

CÂNCER SEMPRE FOI UM SIGNO PARA MIM

Canceriana com ascendente em câncer, igualzinha a minha mãe, que tem o mesmo signo e ascendente; por isso, nunca liguei para astrologia; justamente por ter um gênio tão diferente do dela, não via o menor sentido naquilo. Mas me incomodava muito, desde criança, ter um signo com nome de doença, sinônimo, antigamente, de morte.

O que aquele caranguejo tem a ver com câncer? Alguém pode me explicar?

DIAGNÓSTICO E PROTOCOLO ONCOLÓGICO

Eu quis saber exatamente o que tinha, então, perguntei a meu oncologista, dr. Marcelo, em minha primeira consulta. Eu estava tão triste, já havia operado e ia começar o tratamento.

Ele me explicou e eu anotei tudinho em meu caderninho: neoplasia mamária, também conhecida como câncer de mama; diagnosticado após uma cirurgia plástica em outubro.

Fui submetida a uma mastectomia radical em novembro (retirada das duas mamas) com reconstrução imediata, quando encontraram quatro tumores na mama direita e focos de início de câncer na esquerda; o maior caroço retirado tinha mais de cinco centímetros.

Em dezembro de 2012 comecei as quimioterapias vermelhas, quatro sessões de vinte e um em vinte e um dias. Em fevereiro de 2013 comecei as quimioterapias brancas; essas foram doze, semanais.

Cada tipo de câncer é um caso isolado e tem seu tratamento, que consiste em ciclos de quimioterapias. Essas químios têm uns nomes muito técnicos, e, para simplificar, nós as chamamos de "químio vermelha" e "químio branca".

Eu possuo em meu organismo uma proteína que só 20% das pessoas possuem, que se chama HER+++. Tenho que fazer a aplicação, depois das quatro químios vermelhas e das doze químios brancas, de um anticorpo monoclonal, esse tal de Herceptin, a cada três semanas até completar um ano de tratamento. Nem todos os tipos de câncer são tratados assim.

O Herceptin também é conhecido como vacina e é considerado quimioterapia. Se você tiver o HER negativo, não precisa passar por essa fase do tratamento.

Farei o uso desse medicamento durante um ano, até maio de 2014. A cada vinte e um dias tenho que fazer essa químio, que, no caso, é um anticorpo monoclonal, isto é, uma medicação que serve para anular essas células malignas em meu corpo.

Tenso, não é?

Neste exato momento estou me preparando para as radioterapias. Já fiz meus exames, e a qualquer hora começo essa fase do tratamento.

Meu tratamento e cura não são problemas meus, e sim, de meus médicos; escolha uma equipe médica em que você confie e acredite neles. Deve haver uma sintonia entre vocês, para que possa negociar algumas coisinhas, tipo: posso beber durante o tratamento? Posso viajar e voltar depois do carnaval? Posso pular a químio esta semana? Estou tão cansada...

QUIMIOTERAPIA ❧ BELEZA

No desfile de 7 de setembro do Colégio Coração de Jesus, onde estudei dos 2 aos 17 anos, quem está de mão dada comigo é Felipe – o Cunha, um dos oncologistas que cuida de mim; na real, o primeiro que fui procurar

AGENDA CHEIA

Eita, que ocupada sou agora! Exames pela manhã, médicos à tarde e medicações a toda hora... Além de terapia uma vez por semana e a família que quer ficar pertinho me dando carinho.

Os médicos nos viram do avesso para ver se não apresentamos nenhuma metástase pelo corpo. Ressonância magnética, tomografia computadorizada, cintilografia óssea, muito exame de sangue para, em poucos dias, começar o tratamento. E meus amigos continuam ausentes, poucos vêm me ver.

Eu me sentia cansada o dia todo, à noite tinha insônia; consequentemente, durante o dia dormia pelos cantos.

RESGUARDO

Prometi ao médico, ao namorado, à família e a quem quisesse ouvir que ia me cuidar, não frequentaria lugares fechados com muita gente, não tomaria sol, não sairia de casa, poria minha leitura em dia, me resguardaria.

Aí, eu me imaginei assim: quietinha, cheia de dores, pálida, arrastando as pantufas dentro de casa naquele piso de taco, atravessando o jardim de inverno para lá e para cá, tomando sopinha, chá, pesquisando sobre vegetais e uma dieta rica em nutrientes, vendo filmes e lendo livros. Eu queria muito pôr a leitura em dia, tinha vários livros para ler! Já me via gordinha por causa dos remédios, com os peitos feios, mas feliz por ter um namorado que se preocupava comigo e a família mais linda do mundo.

Eu não beberia, comeria apenas alimentos saudáveis, ficaria em casa, dormiria cedo e não me estressaria.

Mas logo me arrependi da promessa e me senti no direito – pensei que tinha o direito de viver a vida como qualquer um! Resolvi que queria sair, ver gente... assim que tirasse os pontos e os drenos. Se eu fosse morrer de câncer, que aproveitasse cada minuto da vida! Eu queria ser feliz hoje!

HOMENS

Meu querido namorado era um homem maduro que havia vivido, no primeiro casamento, o caso de sua esposa com um câncer bem pior que o meu, na cabeça, com metástase em outras partes do corpo. Eles lutaram durante três anos e venceram juntos essa luta! Ela retirou um terço do cérebro e passou por diversas cirurgias, até se curar. Hoje está bem, vinte anos se passaram e todo o sofrimento ficou no passado.

Quando fui diagnosticada e conversei com ele, foi tão tranquilizante para mim! Ele disse que eu teria que ser forte e ficar com ele! Pediu para que eu não morresse, logo agora que havia me encontrado. Foi tão emocionante ouvir tudo aquilo! Meio que se culpou, disse que minha doença era um castigo de Deus para ele. Era para eu não desistir, pois ia lutar e vencer. Que sorte a minha! Ele foi para Florianópolis dois dias depois de minha mastectomia, cuidou de mim durante três dias, não saímos daquele lindo quarto de hotel com vista para o mar nem para comer. Eu estava com drenos a tiracolo, pareciam dois cachorrinhos pendurados em coleiras que, como num filme de terror, ficavam sob meus peitos.

Conversamos muito, ouvimos muita música brasileira, ele me contou muita coisa sobre sua vida, confidenciou-me segredos que não gosto nem de lembrar.

Eu adorava cuidar dele quando o visitava; fazia os deveres com suas meninas, provava de tudo, todas aquelas frutas do norte, pratos típicos indígenas; gostava muito de ficar com ele.

Assim que foi para casa, bloqueou-me no Facebook, não atendeu mais a meus telefonemas e nem respondeu a meus e-*mails*. Dias depois, eu me toquei: fui abandonada!

Caramba! Por que não me falou "não quero passar por isso de novo", "não gosto de você o suficiente", "não quero me responsabilizar por você", ou "tenho outra pessoa", sei lá! Seria mais digno, não é? Eu me senti um lixo durante dias, tentando conversar com ele, e fiquei sem resposta.

Quando comecei as químios percebi que todos os homens na mesma situação tinham uma mulher a seu lado, e as mulheres tinham mulheres a seu lado também; uma filha, uma mãe ou uma amiga; os homens não estavam lá com elas, o meu não estava lá também.

Assim que cheguei a casa, derrubada pela cirurgia, conectada pelos drenos e amarrada pela faixa que serve para colocar os extensores no lugar. E mais feliz, no fim de semana em que meu namorado foi me ver. Ainda usava os drenos e a faixa.

Por que será que muitos deles não aguentam um problema desses? Eles não têm condições emocionais para cuidar de uma mulher doente, um filho com problemas físicos ou motores. Só lamento por muitos deles serem assim; fico tão feliz quando vejo um homem servindo de exemplo, lidando com um problema lado a lado com sua mulher.

Meu namorado foi fraco, mas foi o melhor que ele poderia fazer.

NÃO ME TRATE COMO DOENTE, SENÃO EU ME MANDO!

– Você não pode pegar chuva!

– Você não pode sair, namorar, viajar, ir à praia, voar, beber, se cansar, pegar sol, comer pouco, comer muito...

– Amigas! Se continuarem a me tratar como doente, juro que deixo vocês falando sozinhas e procuro quem me trate de igual para igual. Estou passando por um tratamento, mas não morri.

Eu já havia chutado o pau da barraca, pois não ia me resguardar, e sim viver. As pessoas não entenderam, tive que desenhar.

Eu tinha um carocinho no peito, disseram-me que era câncer, fui a um especialista que tirou tudo que tinha de mau em meu corpo. Vou começar a quimioterapia porque não existe outro tratamento... mas não sinto nada, estou vivíssima!

Fui largada pelo namorado e já engatei com Roger. Ele é ex, é médico e bem maluquinho. Vai segurar essa barra comigo.

Sair com Roger é diversão garantida! Só não me aperte os peitos! Fomos para Porto Alegre, conheci Luciana – amiga dele que passou por tudo isso dois anos atrás; com ela aprendi os primeiros truques de maquilagem, ganhei chapéu e peruca. Genial.

ALIMENTAÇÃO 1
(Texto parcial de Telma Burigo, minha nutricionista)

Um relatório da Organização Mundial da Saúde afirma que fatores de risco como o padrão alimentar, o tabagismo, o consumo de álcool, obesidade e o nível de atividade física podem não apenas influenciar a saúde presente, mas também determinar se um indivíduo irá desenvolver enfermidades como o câncer, doenças cardiovasculares e diabetes. Essas doenças permanecem sendo as principais causas de morte e invalidez no mundo.

Devemos comer regularmente legumes e verduras, principalmente crus, como as saladas, que têm uma grande quantidade de betacaroteno, vitamina C, indóis, e outros protetores contra o câncer. Outros alimentos importantes contra o câncer são: semente de gergelim, alho, cebola e chás verdes.

As frutas oferecem um reforço natural vitamínico e hídrico. As sementes de gergelim têm grande concentração de cálcio e as folhas verdes ricas em ferro. Porém, não se recomenda o uso de suplementos vitamínicos em cápsulas indiscriminadamente como fator protetor, pois em altas doses podem ser tóxicos para o fígado. Coma uma fruta, tome um suco, que faz o mesmo efeito de uma vitamina C em cápsula.

Em uma revisão de publicações americanas e europeias, estabeleceu-se uma relação muito consistente entre o consumo de cereais integrais e risco reduzido de câncer do estômago, cólon e reto.

O peixe, quando ingerido duas a três vezes por semana, aumenta a imunidade e protege contra o câncer, pois tem ômega 3, gordura benéfica com propriedades anti-inflamatórias.

Os alimentos de origem animal, como a carne, frango, queijo, manteiga, ovos, a margarina, os embutidos (salames, presuntos, mortadelas, linguiças, salsichas), alimentos industrializados, conservas e refrigerantes devem ser evitados. Se utilizados, fazê-lo em pequena quantidade e esporadicamente.

O mais indicado tanto para a prevenção como para o tratamento do câncer é uma alimentação rica em vegetais, frutas e legumes, feijões e pobre em carnes vermelhas, gorduras saturadas, sal e açúcar. Os carboidratos devem ser consumidos na forma de cereais – pão integral e arroz integral.

Não coma sal para não reter líquidos (acho que é assim que a gente fica com cara de lua cheia – de tanto comer sal misturado com os remédios).

Doces, nem pensar! Se eu tenho muita vontade de comer doce, procuro açaí e salada de frutas.

PRESENTES

Seja cara de pau, peça a seus amigos que viajam se podem lhe trazer um lenço ou uma peruca de presente! Quem não chora não mama.

Peça a sua avó para completar o dinheiro daquela peruca que você quer muito comprar; aquele turbante que você mostrou para seu pai, talvez ele compre para você.

Assim fiz minha coleção de lenços e perucas! Só comprei as perucas baratinhas da loja de festas e fantasias, afinal, eu não estava ganhando dinheiro, não estava trabalhando. Como sempre fui muito independente, era difícil ser bancada por meus pais.

Além de lenços, perucas, gorros, turbantes, ganhei vestidos brancos, pois queria ficar parecida com Sinead O'Connor; maquiagens, cosméticos que prometem segurar os cílios e sobrancelhas, e cremes para radioterapia.

Obrigada, amigos, vocês me deram mais que perucas. Ajudaram a criar conteúdo para auxiliar tanta gente!

QUIMIOTERAPIA ● BELEZA

Com o amigo João em São Paulo

ORGANIZAÇÃO

Já que temos tempo, que tal organizar a vida?

Comece pelos exames! Reserve uma gaveta só para eles. E uma gaveta grande e comprida, pois os exames de imagem são enormes! Organize por data, você sempre precisará deles.

Aproveite e arrume as outras gavetas também! Jogue fora aquela papelada velha, arrume seus álbuns antigos, selecione umas fotos em seu computador e mande imprimir, faça outros álbuns.

Depois dos exames, veja quantos lenços você tem. Podem ser quadrados, retangulares... servem boinas e chapéus também. Deixe tudo junto. Se tiver um espacinho, faça um cantinho para deixar todos os seus novos acessórios. Faça um camarim para você!

Além de enfeitar a cabeça, você vai usar muitos brincos: argolas, de peninha, compridos, coloridos... Arrume um espaço só para eles em seu camarim.

Maquilagem: jogue fora tudo o que estiver velho, não queremos uma reação alérgica, um tersol ou sei lá o quê. Arrume tudo direitinho: pincel com pincel (lave-os), sombra com sombra, batom com batom!

No armário: tire tudo de dentro e deixe apenas o que você vai usar de roupa. De acordo com a estação do ano que for, tente organizar tudo para ficar à vontade em seu camarim.

Você vai precisar de um espelho grande e luzes para se maquiar à noite.

Ninguém precisa de uma aquarela de cores de sombra, *blush* e base para parecer bem, até porque as mudanças mais comuns na maquilagem giram em torno de você querer parecer mais ou menos bronzeada, valorizar seus belos traços, disfarçar o que não lhe favorece tanto, amenizar um rosto abatido ou uma noite maldormida, e, é claro, lançar mão de alguns truques e uma boa máscara para cílios para revelar aquele olhar matador! E, se ainda assim você resistir a se livrar daquele estojo com vinte e quatro cores intensas e "duvidosas" de sombras, batons que só ficam bem nas modelos das capas de revistas e aquele corretivo no qual desembolsou uma fortuna, cujo resultado é um efeito craquelado, pense que menos é mais até quando o assunto é ficar bonita, pois tudo fica mais fácil quando você entende que os tons *nude* (tons pastel próximos à cor da pele), a dupla infalível dourado e marrom e um *blush* que realmente combine com sua tez podem deixá-la maravilhosa; mas de forma simples e natural, sem correr riscos!

Já que a palavra de ordem neste capítulo é mudar para melhorar, pratique o desapego também em seu armário, pois atire a primeira pedra quem um dia não olhou para seu guarda-roupa abarrotado e pensou que não tinha o que vestir. Pois bem, aplicaremos o mesmo princípio da maquilagem: enxugar para facilitar!

Antes de você provar seu armário inteiro e desistir da missão na primeira etapa, pense que tudo pode ser organizado por peças de inverno, mais pesadas, que geralmente ocupam mais espaço no armário e até inspiram mais cuidado com a manutenção, e as peças de verão, mais leves, coloridas e práticas, que não precisam ficam misturadas às primeiras. Nessa primeira triagem, certamente, você encontrará roupas que não usou nos últimos seis meses ou até em anos. Portanto, a probabilidade de ela virar sua *best friend* é mínima, já que você não se lembrou de usá-la. Com essas peças esquecidas fora do armário você já consegue ter uma boa noção de como otimizar o restante. Peças que você não usa há tempos, modelagens datadas, e, claro, aquela calça que só lhe serviu quando passou meses sem comer doces, não precisam mais fazer parte de sua vida. Para que ter uma peça que lhe faz lembrar um peso que nunca mais conseguiu ter se o importante aqui é se sentir bem da forma que é?

Praticado o desapego, e por que não dizer até o autoconhecimento, agora é hora de olhar para o que ficou e saber compor tudo com charme e estilo, lembrando que criatividade sempre ajuda a imprimir nossa marca. Mas saber o que nos favorece ou não pode fazer toda a diferença quando a intenção é ter graça e elegância. Alguns truques podem ajudar:

As mais cheinhas, com quadris largos, seios fartos ou com barriguinha devem evitar usar peças que deem ainda mais volume, como babados, franzidos, laços e pregas. Eu, pessoalmente, considero mito que as mais cheinhas não devem usar estampas, porque sem as estampas o vestir pode ficar sério demais; elas trazem alegria. Portanto, estampas pode! O que não é legal são estampas grandes, com motivos exagerados, que aumentem ainda mais o volume que você gostaria de esconder.

Ainda nesse assunto, outra regrinha bem conhecida, mas que vale lembrar, é que tons escuros sempre ajudam a "resolver" aquilo que está incomodando. Exemplo disso é, talvez, o melhor amigo da mulher, depois do diamante: o pretinho básico, vestido que em suas mais diversas variações sempre nos salva do erro e democratiza o uso de acessórios e complementos sem comprometer o *look*. Já diria Constanza Pascolato: "O preto empresta um ar de mistério até a quem não tem nenhum".

Se o preto resolve a vida de quem acha que precisa perder uns quilinhos, o branco seria esquecido até que isso aconteça? A resposta é não! Primeiro, porque branco é chique. Só isso bastaria, mas, se mesmo assim você está com medo de investir em um belo blazer branco para um *look summer*, lembre-se que branco dá leveza, suavidade e, sobretudo, rejuvenesce! Branco, *Off White* e todas as suas nuances iluminam e sempre valem muito a pena em peças de alfaiataria, que tenham certa folga no corpo e em bons tecidos, como algodão, seda e linho. Num país como o nosso, onde em algumas regiões é verão quase o ano todo, não se pode subestimar o poder do branco!

Arrematando este assunto, um bom "truque" para alongar a silhueta é evitar cintos, faixas na cintura e listras horizontais de cores contrastantes. Um detalhe que faz toda a diferença na elegância é lançar mão dos sapatos de salto em tons *nude*, que dão aquela alongada nas pernas! Teste e confira!

Para quem está supersatisfeita com seu peso, ou até gostaria de ganhar alguns quilos, é hora de abusar de estampas maiores, roupas com volume ou até tons claros, com modelagens mais próximas do corpo. Se você ama cores, não perca a chance de criar composições coloridas e cheias de vida: saias rodadas, pantalonas (chiquérrimas) e pregas a favorecerão.

Para estar sempre bem-vestida com seu "novo" armário enxuto é hora de conhecer o "potencial" de composição de algumas peças. Por exemplo, um vestido floral de alcinhas bem leve do verão pode ficar incrível com um maxicardigan de tricô, meias grossas e botas estilo coturno. Outro grande coringa do armário pode ser a boa e velha jaqueta jeans, que fica linda sobre a camisa branca e quebra a seriedade da calça de alfaiataria risca de giz. Falando nele, quem consegue viver sem esse amigo tão versátil, fiel e que exige tão pouco de "atenção" nos cuidados? Portanto, jeans, seja ele numa calça, *chemisier*, camisa ou até na saia é, e sempre será, a mais democrática das peças que merece lugar garantido em seu armário.

Se a ideia é sermos práticas com nosso armário, outro ponto a considerar são peças fáceis de usar. Já faz tempo que peças de tecidos sintéticos não eram bem-vistas. Hoje, graças à tecnologia, temos tecidos lindos, com estampas e texturas deslumbrantes, fáceis de lavar, que secam rápido e não amassam! Portanto, na hora de comprar, você não precisa ser nenhuma *expert* em composição têxtil, mas não custa nada dar uma olhadinha na etiqueta para saber que certa porcentagem de elastano fará que a peça tenha flexibilidade e conforto; a viscose, maciez, e a poliamida facilitará e muito sua manutenção.

Minha intenção aqui não é impor regras para o que pode ou não pode. Até porque meu próprio estilo é um improviso de peças que combinam comigo e falam sobre minha personalidade. O importante é saber que o vestir não tem segredos quando se sabe como cada peça funciona em seu corpo e qual a imagem que você transmite com determinado *look*. Claro que informação de moda em *sites*, livros e revistas pode ajudar muito, mas perceber-se, aceitar-se e, acima de qualquer coisa, ser generosa consigo mesma é o importante. Inclusive, quando você se arruma fica mais natural, verdadeira e à vontade. Inevitavelmente, isto transparecerá em uma postura confiante, na autoestima, e, sem dúvida, em sua feminilidade. Portanto, se a estampa de seu vestido for de florzinhas ou bolinhas, pouco importa quando você se olha no espelho e se ama.

QUIMIOTERAPIA ● BELEZA

CATETER

Coisa mais esquisita esse tal de cateter! Posso ficar sem essa? É outra surpresinha que o tratamento reservava para mim.

Um dispositivo que fica embaixo de minha pele e é ligado a uma artéria. Parece uma moedinha que nos conecta com a quimio, tipo uma entrada USB. Minha sogra tinha esse cateter e eu nunca perguntei o que era. Parecia mesmo uma tampinha de garrafa escondida embaixo da pele.

Disseram-me que o cateter é a melhor opção para receber a quimio. As veias entopem, a pele mancha; não vale a pena! E hoje posso afirmar que é verdade. Vejo como sofrem as pessoas que não tem cateter. Você passa por uma pequena cirurgia para a colocação e pronto! Quando acabar o tratamento, você o retira.

Explique a seu médico que ele tem que acoplar o cateter bem embaixo da alça da blusa para que não fique aparente, não muito para fora do corpo, já que fica uma pequena cicatriz que também queremos esconder.

Eu perturbei o dr. Eduardo para fazer que o cateter ficasse o mais escondido possível, e ficou ótimo!

Mais uma vez, lá vou eu lançar mão da moda para driblar as marcas do tratamento. Obviamente, peças com mangas e decote fechado sempre solucionariam meu "problema". A questão é que não pretendo e nem consigo aderir a um estilo tão recatado! Sempre achei que deixar colo, ombros e até costas à mostra é muito *sexy*! Não tem aquela história de que os homens dizem que adoram mulheres com cabelos curtos ou presos para ver a nuca e as costas de fora? E agora, vou perder essa chance tão interessante? Imaginem! Então, a saída para mostrar os ombros é optar por alças mais largas, com cerca de cinco centímetros ou mais. Também há o estilo "engana mamãe", que pode ser bem útil para esconder as marcas do cateter, já que a proposta é não mostrar colo e ombros, e quando você vira de costas... Opa! Elas estão lá, à mostra de um jeito provocativo, na medida certa. Agora, se por qualquer motivo você não quiser mostrar as costas, a saída é o bom, clássico e elegantérrimo decote "V", que, com mangas ou alças largas, não deixará cicatrizes à mostra, e ainda tem o poder de alongar a silhueta, pois valoriza colo e pescoço.

Regatas cavadas, mesmo com alças bem em cima da cicatriz pode? Poder, pode! A questão é o movimento; ninguém fica parado como uma estátua de pedra! Portanto, se elas realmente incomodam, e você não pretende limitar seus movimentos por causa disso, pense em outras opções.

Alcinhas finas estão proibidas? Não, porque "é proibido proibir", mas aí é bom calcular que, geralmente, usamos alcinhas finas quando o termômetro está alto; sendo assim, aquela echarpe ou um lenço bem leve, de seda, *voil* ou gaze, bem fresquinhos, que com certeza já pode ter sido usado para cobrir sua careca em tempos de cabelinhos que foram embora, agora volta com tudo preso às alcinhas do vestido ou da blusa para não ficar escorregando e atrapalhar. Além disso, será um charme a mais no *look*, escondendo a marquinha do cateter.

QUIMIOTERAPIA e BELEZA

Essa cicatriz perto de meu ombro direito é o cateter

BELEZA E QUIMIOTERAPIA – A FAN PAGE

Não era viagem minha. Não existia nenhum *site*, nenhum livro, nenhum filme, nem ninguém falando sobre quimioterapia e beleza no mundo!

Como ninguém pensou nisso antes? Em fazer um manual para ajudar as pessoas que precisam passar pelo tratamento com estilo.

O câncer, se não mata, embeleza! Posso provar para vocês!

Quando alguém me pergunta de onde surgiu esse projeto, eu respondo:

Quimioterapia e beleza, a *fan page* do Facebook surgiu poucos dias antes de minha primeira quimioterapia. Foi instintivo esse nome, foi em homenagem à pesquisa que fiz na internet durante alguns dias, querendo saber que artifícios eu poderia usar para ficar mais bonita durante a quimioterapia. Eu sempre trabalhei com moda, o mercado sempre me cobrou ser bonita, magra e bem-vestida; não havia como eu ser diferente durante o tratamento. Esse é o "porquê" do nome.

Eu havia pensado em fazer um trabalho pessoal, artístico, sensível e que confortasse as pessoas que precisam passar pela químio, mas desisti. Ficar fotografando meus peitos em cada fase me soou um pouco deprimente. Minhas fotos eram um pouco tristes, meu rosto tinha um sorriso amarelo e eu ficava sem jeito cada vez que tinha que fotografar ao lado de meu quarto e à frente do jardim de inverno para entrar uma luz natural. Aí, não rolou mais!

Percebendo que meus amigos e parentes não tinham muita "cara" para me abordar, resolvi criar um canal de comunicação com eles. Lá eu postaria tudo sobre meu dia a dia. No começo, quando eu me sentia deprimida, não postava nada, para não preocupar meus amigos. Via que eles acompanhavam e curtiam meus *posts*. Esse foi o "para que" de minha *page*.

Até que percebi que pessoas de todo o mundo começaram a interagir comigo. Mulheres e homens que passavam pela mesma situação. Países onde se fala português, países onde se fala espanhol. De repente, chegaram convites para participar de programas de tevê, portais na Internet para falar sobre minha iniciativa. Achei tão divertido! Como num conto de fadas, uma adversidade se tornou uma coisa tão maior. Tão linda, tão especial. Esse foi o "quando" minha *page* estourou na mídia.

Assim que completei 30 mil seguidores. Em agosto de 2013 eu tinha mais de 1 milhão de visualizações mês.

VOCÊ GOSTA DE GATOS?

Eu gosto de gatos. Por isso chamo as pessoas de *cats*. Cat serve tanto para meninos quanto para meninas e é simpático, de bom-tom! "Gata, como você está linda!"; "Por onde você anda, gato?"; "*Cats*, tive uma ideia!".

Chamo meu filho de gato e meu gato de filho, que confusão! Gatos são charmosos, delicados, espertos, cheirosos, independentes, fofinhos e sabem se defender. Assim como eu!

Nino é meu gato. Animais vacinados, limpos e bem alimentados não oferecem riscos ao nosso tratamento, só nos dão carinho e apoio.

Nino, o gato terrorista

A QUIMIOTERAPIA

Algumas quimioterapias podem afetar o sistema cardiovascular da paciente. Por isso, temos que nos submeter àquele *check-up* da saúde cardíaca antes de iniciar o tratamento e monitorá-la durante o período de quimioterapia. Sabia que se nossa imunidade estiver baixa não podemos fazer quimioterapia? E se deixarmos o tratamento se estender muito, é pior, não é? Fora as tais injeções para aumentar a imunidade que temos que tomar na barriga!

Alimentar-se direitinho é importantíssimo para não baixar nossa imunidade. Não devemos tomar vitaminas em cápsulas para não sobrecarregar o fígado. Comendo frutas e verduras diariamente teremos vitaminas suficientes para não passar sufoco durante os exames periódicos e deixar de fazer químio.

Nem todo mundo que faz químio perde o cabelo. Além da perda dos pelos, existem muitos outros efeitos colaterais que sofremos durante a quimioterapia.

A quimioterapia vermelha é conhecida pelos efeitos colaterais mais terríveis do tratamento; a branca é bem mais tranquila. Cada organismo reage de uma forma, então, vocês podem sentir alguns, muitos ou poucos desses efeitos colaterais.

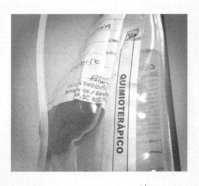

Quimioterapia vermelha e...

...outras coisinhas mais

PRIMEIRA QUÍMIO VERMELHA

No dia de minha primeira sessão de quimioterapia vermelha não tive nada de enjoos e ficou tudo bem. Eu sabia que meu cabelo ia cair, minhas unhas enfraquecer, que a pele poderia manchar com o sol, entre outros efeitos colaterais.

Como trabalhei minha vida toda no mercado da moda, resolvi dedicar meu tempo, que agora está bem livre (pois tive que sair de São Paulo e voltar para Florianópolis, onde tenho minha família), a trocar experiências com outras mulheres, para nos sentirmos completas, mesmo sendo pacientes de câncer.

Exceto a primeira, durante todas as aplicações da químio vermelha tive uns probleminhas, pois sou asmática; toda a clínica parou quando minha garganta fechou e eu deixei de respirar. Foi bem assustador, o ar não passava por meus brônquios e eu chorava e piorava. Fiquei quase azul, interromperam minha medicação e me levaram para o oxigênio. Tomei um medicamento e aos poucos minha respiração voltou ao normal. Que desesperador! Levaram-me para um quarto sozinha e fiquei em observação. Nossa, que triste! Pensei que ia morrer.

Mas, não quero falar sobre o lado ruim da doença; quero falar do lado bom!

Eu pensei: assim que meu cabelo cair, sairei às ruas procurando recursos de beleza para todas nós. Na página vou

QUIMIOTERAPIA ● BELEZA

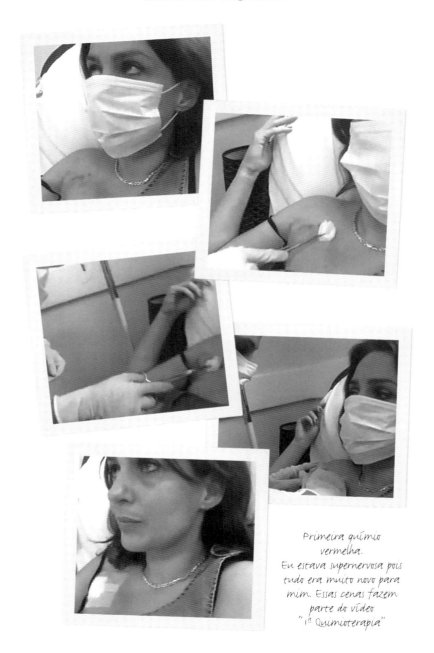

Primeira químio vermelha.
Eu estava supernervosa pois tudo era muito novo para mim. Essas cenas fazem parte do vídeo "1ª Quimioterapia"

mostrar minhas perucas, vou procurar maquiadores, estilistas, fotógrafos, nutricionistas e dar dicas de bem-estar! Cosméticos, unhas postiças, próteses, cílios postiços, *design* de sobrancelhas, roupas, lenços, chapéus, combinações, biquínis e sedução, por que não?

Somos guerreiras e não gostamos da situação de vítima que muitos enxergam em nós. Nada de tristeza!

EFEITOS COLATERAIS E COMBATE DURANTE A QUÍMIO VERMELHA

Quais são os efeitos colaterais:

- Enjoo
- Náuseas
- Insônia
- Sonolência
- Dores nas articulações
- Cansaço
- Aftas
- Feridas
- Difícil cicatrização
- Diarreia

- Constipação
- Dor de cabeça
- Problemas visuais
- Falta de memória
- Infertilidade
- Dormência
- Queda dos pelos
- Tontura
- Fraqueza

Quer mais?

Como amenizar esses efeitos?

- Muito suco de frutas
- Gelo
- Picolés e sorvetes
- Açaí
- Remédios para enjoo
- Ar-condicionado
- Uma amiga bem alto-astral
- Amor da família
- Remédio para dor de cabeça
- E muito bom humor

TOUCA TÉRMICA GELADA

Existe uma touca térmica (gelada) que evita que os cabelos caiam; eu nunca vi, mas já ouvi relatos. Dizem que ela não é 100% eficaz e que pode queimar o couro cabeludo. Algumas partes ficam com cabelo, outras não... fica feio!

Se você for ficar careca, assuma essa cabeça pelada! A cada dia pode se transformar em uma personagem diferente, e o cabelo vai crescer e você vai sentir falta da sua careca! Acredite.

ÁGUA

Não se esqueçam de tomar água! Principalmente quando estiver em tratamento. A químio que entra tem que sair do nosso corpinho!

Vou lembrar a você os benefícios de tomar três litros de água todos os dias:

- Ajuda a perder peso: tomar água ajuda o corpo a eliminar os subprodutos da gordura, reduz a fome, suprime o apetite e tem zero caloria.
- É um remédio natural para dor de cabeça: alivia a dor de cabeça e das costas resultantes da desidratação, que é a causa mais comum de dor de cabeça.
- Deixa a pele mais jovem: tomar água rejuvenesce, pois hidrata a pele, repõe os tecidos cutâneos, umedece a pele e aumenta sua elasticidade.
- Melhora a produtividade no trabalho: nosso cérebro, em sua maior parte, é formado por água, portanto, tomá-la nos permite estar mais alertas e concentrados.
- Melhora o exercício: tomar água regula a temperatura do corpo, permitindo que tenhamos mais energia ao fazer exercícios; e também melhora a atividade muscular.
- Ajuda o intestino a funcionar melhor: tomar água vinte minutos antes das refeições e duas horas após regula o intestino. Não deve ser tomada com as refeições, pois prolonga o tempo de digestão. Se a dieta contiver fibras e grãos, a pessoa terá mais sede.
- Resulta em menos cãibras: a hidratação lubrifica as juntas e músculos e reduz os sintomas de artrose, artrite e reumatismo, além de diminuir as cãibras.
- Diminui as chances de adoecer: tomar água melhora o sistema imunológico e previne contra gripes e resfriados.
- Alivia a fadiga: a água elimina as toxinas e subprodutos

do corpo. Sem água suficiente o coração trabalha mais para bombear o sangue oxigenado para todas as células e órgãos vitais, e os órgãos ficam exaustos. A água traz alívio instantâneo da fadiga e irritabilidade.

• Dá bom humor: nosso corpo se sente mais disposto e nos sentimos mais felizes.

• Reduz o risco de câncer: muitos estudos mostram que tomar água pode reduzir os riscos de câncer de cólon, pois a água dilui a concentração de agentes causadores de câncer na urina e reduz o tempo de contato desses agentes tóxicos com a bexiga.

Fonte: http://www.carevolution.com.br/2012/06/os-11-beneficios-de-se-tomar-agua/

PELE

Nunca deixem de usar o filtro solar – até para sair à noite eu uso.

Dizem os especialistas que é o melhor antirrugas que existe no mercado. Se você usar, não terá um envelhecimento precoce. Não é aconselhável usar protetor solar corporal no rosto e facial no corpo; o protetor solar corporal é um pouco oleoso e pode causar cravos e espinhas na face.

É extremamente proibido pegar sol durante o tratamento, pois as manchas que aparecerem em seu rosto e corpo ficarão para sempre! Não queremos isso. Além do mais, sentimos uma indisposição algumas horas depois, uma sensação de febre, e a pressão cai de repente; definitivamente, não vale a pena!

Mas, como não sou de ferro, aproveito a praia e o mar no fim de tarde; a água do mar é tão revigorante, e é uma sensação ímpar tomar um banho de mar quando não se tem cabelo.

No começo, eu morria de vergonha de tirar o lenço para caminhar até o mar. Olhava para os lados e soltava logo um "não vá se chocar" para o vizinho da barraca mais próxima, que com certeza estava aguardando eu despir a careca.

Mas, quando pisava na água gelada, eu me transformava numa linda *panicat* careca e mergulhava com gosto, sentindo a água passar pelo topo da cabeça, orelhas, aquelas sobrancelhas ralas e pescoço que nunca haviam ficado pelados na vida, tocados pela água.

Vale também usar luvas para dirigir e chapéu, que tem em sua composição fator de proteção solar – algumas marcas de roupas também confeccionam peças com essas fibras.

FALTA DE MEMÓRIA E SEU LADO BOM

Verdade! A memória falta quando menos se espera. Você está conversando e esquece sobre o que estava falando.

Não se lembra de ter combinado de ver sua prima, de ir à terapia, de caminhar todos os dias? Normal!

Não lembra o rosto ou o nome das pessoas? Normal! Não se lembra nem de seu médico? Sim, tudo isso é muito natural!

Pode aproveitar a situação e esquecer aquele cara que a deixou quando descobriu que você estava com câncer, e também alguns comentários que lhe fizeram e que a deixaram magoada. Esqueça as barbaridades que vêm acontecendo no mundo e curta essa fase de introspecção e autoconhecimento que é o tratamento.

Relaxe e esqueça mesmo! Eu fiz questão de esquecer várias coisas e me dei bem!

Deu branco? Supernormal!

HORA DE SE DESPEDIR DOS PAQUERINHAS

Depois que meu namorado me deixou, minha relação com Roger não vingou. A vida continuou. Não é só porque tenho que passar pela quimioterapia que tenho de sofrer e me fazer de vítima. Vou dar uma última namorada antes do tratamento!

Desenterrei alguns ex do fundo do baú, fiz algumas festinhas, beijei bastante nessas duas últimas semanas, mas deixei avisado que ia começar um tratamento contra um câncer e que precisava passar por quimioterapia, e ia ser muito duro. É claro que nenhum dos meus paqueras, ex ou qualquer um que soube da verdade se prontificou a estar perto de mim, a me visitar e tal. Percebendo isso, já fui logo falando: "Gato, é o seguinte: a gente se vê daqui a um ano. Vou perder os cabelos a qualquer momento, beijo, tchau".

Eu me mostrei superforte, decidida; vi o nervosismo e o alívio no rosto de cada um.

Pensei que, se fosse ficar desfigurada pela doença, queria ter boas memórias de minha juventude.

Contagem regressiva para a queda das madeixas: 4... 3... 2... 1...

FIM DO MUNDO – CAIU MEU CABELO

Fui à praia com meu filho, Gregório, e Max, meu primeiro instrutor de voo; sim, já contei que tenho brevê de piloto privado, tirei quando tinha vinte e um anos e morava em San Diego, na Califórnia. Depois, passamos na casa de Bea, amiga há muito tempo para ver o filho dela, Vicente, de seis meses de idade. Eu adoro um bebê... dos outros!

Estava rolando um churrasco na piscina e eu segurava Vicente no colo. Ele se apoiava em meu ombro e dançávamos, até que o entreguei ao pai. Quando ele largou de meu pescoço, levou um punhado de cabelo nas mãos. Um punhado assustador em cada uma de suas mãozinhas.

Pedi a meu amigo Magno, fotógrafo, fazer umas fotos minhas para eternizar o último dia não careca.

Nem lavei o cabelo depois da praia, só dei uma ajeitada para fazer as fotos. Sequei a franja – ficou quase inteira na escova –, passei os dedos para ajeitar os cabelos e fui às fotos.

Eu estava tão sem jeito... e, para ajudar, tivemos que varrer três vezes o estúdio, pois era cabelo por todo lado! Assustador.

Minha mãe me acompanhou e até participou das fotos, mas era muita tristeza, e minha cara estava toda inchada de tanto chorar.

Não dava para esperar mais um dia para cortar os cabelos, não dava para lavar, nem para passar um pente. Já era...

Dia 21 de dezembro de 2012, dia do fim do mundo; chamei um amigo cabeleireiro em quem confio, e que é muito calmo, para cortar meus cabelos. E para quebrar o gelo, chamei uma amiga muito alto-astral, Coia, nos conhecemos desde a adolescência, para me animar e ajudar a me fazer rir.

Abrimos um vinho e começamos.

Rodrigo perguntou no salão em que trabalhava como faria para cortar meus cabelos direitinho, sem desperdiçar, e

Estava estampada em minha cara a tensão daquele dia em que meu cabelo começou a cair. Na outra foto, já

bem resolvida, graças a minha amiga Clica, que me encorajou a fazer as fotos careca

mandar para uma peruqueira para confeccionar uma linda peruca.

É o seguinte: pegamos mechinhas da espessura de um dedo médio, cortamos e amarramos uma borrachinha na ponta da raiz, e reservamos. Total: quarenta mechinhas numa caixa de sapatos. Eu tinha as raízes virgens e californianas nas pontas... ai, que pena...

Acabamos, fechamos a caixa e Rodrigo foi para casa esperar o mundo acabar. Coia bebeu o vinho comigo, mas, pelo jeito, só meu mundo acabou aquela noite.

QUIMIOTERAPIA ● BELEZA

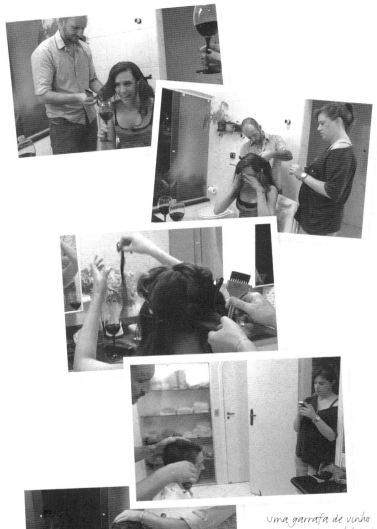

Uma garrafa de vinho mais um amigo cabeleireiro e uma amiga que não te deixa chorar é receita para aquele dia de raspar os cabelos. Aprenda no vídeo: "Como salvar seus cabelos" para fazer uma peruca

QUEBRANDO TABUS

Tem gente que chama o câncer de "aquela doença". Precisamos nos unir e desmistificar o câncer, afinal, é uma doença que está muito próxima de nós, cada vez mais; ou nós mesmos temos, ou nossa vizinha, tia, irmão, colega de trabalho tem. E hoje, mais do que nunca, sabemos que o câncer não tem critério ao escolher suas vítimas e tem cura se descoberto a tempo. Mas o tratamento é sofrido; nos faz perder os cabelos, enfraquece cada órgão nosso e nos faz vomitar como o exorcista.

Mas a vida não pode parar! Nossos filhos precisam de nós, a família precisa, o trabalho precisa, a horta, o gato, as contas...

VAMOS SAIR HOJE?

Afora os dias em que a quimioterapia quer matá-la de enjoo, você pode sair sim! Ou melhor, deve sair!

Não vai atrapalhar seu tratamento ir jantar com as amigas; apenas tome os cuidados necessários: nada de crus, embutidos; salada, só se for bem lavada. Não tome chuva, evite lugares com muita gente e não se empolgue, para não acabar numa boate até as seis da manhã. Tudo tem limite.

QUIMIOTERAPIA ⊘ BELEZA

Não perca a oportunidade de sair e viajar com quem você ama!

Eu fui liberada para tomar um drinquezinho. Expliquei a meu médico que não tinha intenção de fazer o "resguardo" e que minha vida social estava muito intensa, portanto, eu tinha vontade de viver o mais naturalmente possível. Não ia abrir mão de meu estilo de vida.

No meu caso:

- Jantar com as amigas? Pode.
- Vinho e outras bebidas? Pode (se eu estiver me sentindo disposta, é claro).
- Um cigarrinho? Não, né! Se você tem maus hábitos, livre-se deles.
- Caminhadas ou trilhas? Pode, desde que não seja ao sol entre 10h e 17h.
- Dançar? Pode.
- Barzinho? Pode, se você tiver saco para isso...
- Uma *rave*? Não... já pensou se alguém bate nos seus peitos, tira sua peruca? Que mico!

Encontrex com Melissa, Ana Virgínia e Manoela regado a Champanhe das Princesas — sem álcool. Eu ainda tinha cabelos

- Dormir na casa do gatinho? Deve! Aproveite para pedir um cafuné, fazer amor.
- Viajar? Pode sim! Cuidado com as viagens muito longas de ônibus ou outro veículo muito cheio; pode ser perigoso, não podemos pegar uma gripe.
- Provar uns pratos exóticos? Não invente! Pode lhe dar um piriri.

A QUÍMIO É REALMENTE NECESSÁRIA?

Existem exames que podem afirmar se é necessário mesmo passar pela quimioterapia. Eu, como portadora de

HER+++, nem precisei questionar, era certo meu tratamento quimioterápico.

Pergunte a seu médico sobre isso, e procure sempre uma segunda opinião se não sentir firmeza na resposta que lhe derem.

No caso do câncer de mama, existe um exame europeu usado para tirar essa dúvida. O SUS e os convênios precisam liberar esse exame; hoje em dia é particular. Pergunte a seu mastologista sobre isso.

MUDANÇA DO COTIDIANO

Eu sempre fui tão ativa, trabalhadora, independente... Difícil para mim essa mudança de hábitos; mudar de São Paulo para Florianópolis, pois lá tenho uma família maravilhosa que pode cuidar de mim e me dar suporte durante o tratamento. Morar na casa de minha avó nem é tão ruim assim... mordomia *master*!

Eu, a princípio pensei que ficaria de "férias" durante o tratamento, fazendo receitinhas saudáveis, lendo muito... mas isso não aconteceu. Minha *fan page* e todos os projetos em que estou me envolvendo chegam a tomar 15 horas do meu dia.

Hoje:

• Acordei às 6 horas no Rio de Janeiro, onde fui gravar *Superbonita*, programa da GNT.

- Cheguei ao aeroporto às 7 horas.
- Embarquei, e agora estou esperando a decolagem.
- Chego a Vitória (Espírito Santo) às 9 horas para uma visita a pacientes com câncer e contar sobre minha trajetória, ensinar maquilagem, amarrações e falar sobre perucas.
- Imprensa local.
- Voo de volta ao Rio, às 16h30.
- Reunião com uma rede de hospitais às 18h30.
- Comer alguma coisa, tomar banho, pôr a camisola e...
- Videoconferência às 22h30 para falar de leis e gravação de um vídeo que vamos fazer semana que vem.

Total: 16 horas de trabalho por hoje.

Remuneração do dia: muito carinho de muitas pessoas que vou encontrar e troca de uma experiência linda.

Alguns programas de tevê de que participei. Na primeira: na varanda de casa para o programa BEM-ESTAR da tevê Globo, e na segunda, em Vitória (ES), onde concedi quatro entrevistas no mesmo dia!

Eu nasci careca (acervo pessoal)

Gostava de fantasias desde pequena
Com as primas Tatiana e Débora e meu irmão Thiago (acervo pessoal)

Eu servia de modelo para os meus amigos (acervo pessoal)

Essa foi a minha primeira capa

Adorava desfilar...

Adorava fotografar...

Tive meu filho aos 15 anos, Gregório (acervo pessoal)

2º relacionamento do meu pai. Eu, meus irmãos Enzo, Vicente e Thiago, Cynthia e meu pai (acervo pessoal)

Momento em que estou entrando no hospital para a minha primeira quimioterapia, dezembro de 2012

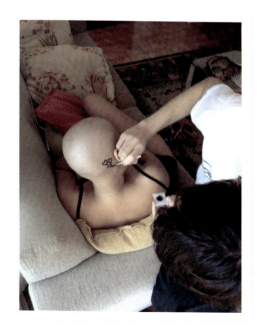

Gregório, meu filho fazendo uma tattoo na minha careca (acervo pessoal)

Com meu irmão Thiago e minha mãe, cabelos crescendo (acervo pessoal)

Na festa junina, na barraca do carreteiro do meu pai com meus irmãos Enzo e Vicente. E com minha vó e meu filho (acervo pessoal)

Com Fernando Torquatto, na gravação do programa Superbonita – GNT (acervo pessoal)

Com Renato Reyes e Edward Piha, meus grandes amigos (acervo pessoal)

Gravando para o
programa da Eliana

Maquiando para minha 1ª VOGUE

sonho de qualquer mulher: página da Vogue

Com Agustin no estúdio do Magno Bottler,
fazendo uma foto para o Wlad

sessão de fotos da minha amiga Clica Voigt

Clic da Clica

Eu bem carequinha (Clica Voigt)

Aqui eu já tinha um pouco de cabelo (Clica Voigt)

Conheci artistas
maravilhosos, como o
Wladmir Dal Bó

Foto de Samuel Schmidt,
assim como o Wlad, é
amigo da Clica

Samuel Schmidt e Clica Voigt

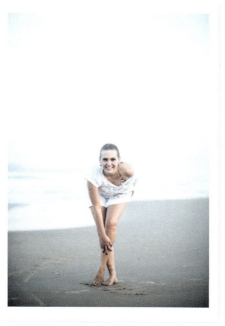

Clica Voigt e Samuel Schmidt

Esta é a Clica, foto do Samuka

Este é o Samuka, foto da Clica

Parece uma capa de disco (Wladmir Dal Bó)

Parece um filme (Wladmir Dal Bó)

Esta era a sensação
da quimio
(Wladmir Dal Bó)

Também me sentia
assim durante
a quimio
(Wladmir Dal Bó)

Durante a quimio eu perdi todos os meus pelinhos e hoje todos eles voltaram (Wladmir Dal Bó)

Ficar sem ar, sem chão, é natural depois do diagnóstico (Clica Voigt)

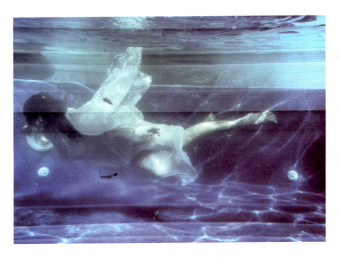

E os dias passam sufocantes (Clica Voigt)

Dia dos namorados sozinha em 2013 (Clica Voigt)

sem comentários...
(Wladmir Dal Bó)

Minha amiga
Ana Virgínia,
a mais parceira
naquela fase

Os lenços desceram da cabeça para os ombros

Wladmir Dal Bó

Foram tantos disfarces...
(Ricardo Wolff)

Aprendi amarrações com
as muçulmanas
(acervo pessoal)

Fui loira (Ricardo Wolff)

Fui morena (Ricardo Wolff)

Pulei carnaval em
Maresias
(acervo pessoal)

Me diverti
(Ricardo Wolff)

Look do vídeo (Daniel Tupinambá)

Look do vídeo (Daniel Tupinambá)

Look da quimio (acervo pessoal)

Look da quimio com detalhe dos cílios postiços
(acervo pessoal)

Look produção festa, com a amiga Edna Santini (acervo pessoal)

Look da festa junina (acervo pessoal)

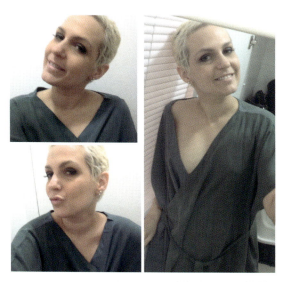

Look do hospital (acervo pessoal)

Look do exame (acervo pessoal)

E mais fotos com meus amigos (Clica Voigt)

Inspirando milhares de mulheres (Clica Voigt)

Passeando com Laurant e Eugênio (acervo pessoal)

Produção e fotos com a Gigi (acervo pessoal)

Eu e a Gigi sem as perucas (Amanda Costa)

Testei todos os tipos de acessórios

As perucas me trouxeram alegria (Amanda Costa)

Daniel Tupinambá... Que me ensinou tanta coisa!

Com a Grace, Daniel, Juliana, Lucas, Luiza e Rodrigo, na gravação do 1º teaser (acervo pessoal)

Com a mesma equipe gravando o 2º teaser (acervo pessoal)

Com toda a equipe no dia da gravação do 2º teaser
(acervo pessoal)

Na gravação do Clube do Champanhe, apresentado pela
Adriana Althoff (acervo pessoal)

Dezenas de programas de TV, ensinando minhas Cats a se maquiarem

No programa da Eliana

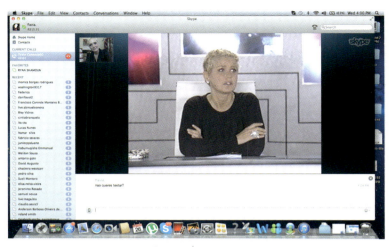

Gravação por Skype com a Xuxa

No programa "Faça Acontecer" da All TV, com Rodrigo Fonseca e Aline Félix (acervo pessoal)

Fotos: Ricardo Wolff – Agência RBS

Ensinando como a autoestima é importante

Fotos pro Diário Catarinense

Junto com a amiga Sara Roberta e outras voluntárias do Hospital Sírio Libanês (acervo pessoal)

Vários amigos rasparam os cabelos para mim. Este é o Murilo, eu raspei o cabelo dele (acervo pessoal)

Cenas do TEASER Quimioterapia e Beleza

Gravando o programa SuperBonita com Fernando Torquatto, da GNT

IMUNIDADE

A quimioterapia chega destruindo todas as células que acha pela frente; as cancerígenas, as boas, as imunológicas... uma verdadeira chacina!

Naturalmente, sua imunidade vai baixar, e se for demais você precisará suspender seu medicamento, e isso é péssimo! Terá que tomar injeções na barriga até seu corpo reagir e continuar produzindo as células imunológicas. Deve ser muito desagradável levar picadas na barriga, não é? Portanto, vamos nos alimentar direitinho?

Eis uma dica: suco verde.

- Couve – rica em ferro.
- ½ limão – rico em vitamina C, que potencializa o efeito do ferro.
- ½ maracujá – vitamina C também.
- Gengibre – aumenta o metabolismo.

Bata tudo no liquidificador, e pode coar. Se quiser adoçar, use mel ou açúcar mascavo.

O suco verde pode levar pepino, hortelã, salsão... Não é muito gostoso, mas é extremamente saudável.

Outra dica é o *shitake*, que é rico em vitaminas e de baixa caloria. Ele tem uma substância que ajuda o corpo a fabricar glóbulos brancos, importantíssimos para aumentar nossa imunidade.

E outras:

Açaí – rico em ferro, desintoxicante, e misturado com uma fruta, na tigela, substitui uma refeição. Supercompleto.

Caldo de cana e melado – ferro.

Coma muita salada (bem higienizada), verduras, frutas, grãos durante o dia.

FAZENDO UMA LIMONADA

As pessoas me falavam de histórias de superação, mas pensei que isso não pudesse acontecer comigo. Só com pessoas iluminadas, famosas, sei lá...

Julio Iglesias só é cantor porque ficou internado vários dias devido a um acidente. Deixaram um violão com ele, aprendeu a tocar, e hoje é o que é. Renato Russo tem uma história parecida também.

Mas eu? Imagine! Uma empresária falida, que depois da separação fiquei tão perdida que nada dava certo em minha vida; trabalhando com moda, mercado que até então me incomodava pelo fato de ser fútil, vazio, e que só alimentava egos e donos de fábricas. Juro que eu não via mais sentido em minha vida.

Entrei numa roubada amorosa e tive que voltar para Florianópolis, porque até meu emprego perdi por causa desse amor. Voltando a Florianópolis comecei outro relacionamento, e não encontrava trabalho em minha área. Então, abri um pequeno restaurante, que me rendeu uma dor de cabeça *master*! Nossa, como me frustrei com essa experiência! Poucos meses depois, percebi que Florianópolis não era para mim e voltei para São Paulo! Ufa, que alívio! A cidade onde tudo acontece.

Fiz algumas entrevistas e assumi a gerência comercial de uma marca bacana. O salário era ótimo, o projeto redondinho e a equipe maravilhosa!

BARBIE CARECA

Sabe aquela Barbie que você resolvia tosar? Eu nunca fiz isso com minhas bonecas! Sempre tive problemas com piolhos em minha infância. Quando eu estava na terceira série do primário, minha mãe se desesperou com a quantidade de piolhos em minha cabeça e cortou meu cabelo Joãozinho. Depois, deixei meus cabelos crescerem e nunca mais ninguém tocou neles para cortar mais de três centímetros. Claro que aconteceu algumas vezes de o profissional passar do ponto e ter que me acalmar com água e açúcar. Que ódio que me dava! Eu sei que cabelo cresce, mas o trauma de ser confundida com meninos quando eu tinha nove anos até agora não passou. Quando eu via uma Barbie careca na casa de minhas amiguinhas sempre a produzia com a roupa mais feminina, mais cor-de-rosa, mais periguete, para ela não ser confundida com o Bob.

Eu me divertia fazendo fotos e me produzindo

QUIMIOTERAPIA & BELEZA

Eu me inspirei bastante nessas bonecas maltratadas para me produzir durante a químio; minha pele tinha que estar linda, meus cílios longos como os da Barbie, e também não usei calças *jeans*, só shorts e vestidos, roupas bem femininas durante o tratamento.

GATA DE BOTAS E O *LOOK* DO DIA

Toda vez que vou para o hospital fazer a químio me monto numa superprodução. Nas primeiras, usei minhas perucas; quando me acostumei e aprendi a usar, ia com meus lenços mais bonitos, sempre superarrumada, mas nunca *over*!

Fotografei o *look* do dia a cada químio para postar na *fan page*, e isso inspirou muitas mulheres; tanto as que estavam na clínica quanto as que me acompanhavam virtualmente.

Finalmente começou a esfriar, e pude usar minha coleção de botas. Eu me sentia a própria gata de botas – *supercat on boots*!

Recebo muitos pedidos de sugestões para visuais: como ir a uma festa mais chique? O que usar na cabeça? Como se produzir para um coquetel? Ai, preciso comprar roupas novas! As minhas estão com uma cara de ano passado...

Toda vez que eu chegava ao hospital, fazia o exame para ver minha imunidade, e enquanto esperava pelo resultado, saía fotografando o look da química, antes das aplicações

COSMÉTICOS SAUDÁVEIS

Muito me perguntaram sobre contraindicações em relação a maquilagem. Eu continuei usando os mesmos produtos de sempre; joguei fora os mais velhos, e por indicação médica procurei os produtos orgânicos, naturais, hipoalergênicos, sem perfume, que não têm contraindicação.

São indicados também os produtos para crianças, como xampus, lavandas, óleos... quanto menos químicos, melhor!

QUIMIOTERAPIA ● BELEZA

SOU UM ET

No início, nós nos sentimos num mundo paralelo, onde todas as outras pessoas são sortudas e reclamam de tudo de barriga cheia. Seres privilegiados que desperdiçam o tempo se queixando de coisas pequenas. Nossa, se soubessem o que é o verdadeiro sofrimento, não dariam bola a essas pequenezas. A questão é que tudo no mundo é relativo. Para você, o mais importante do mundo é a cura, e todas as outras coisas ficam pequeninas como um grão de areia. Só que para uma pessoa saudável, a maior dor do mundo pode ser o término de um namoro, a perda do emprego ou uma injustiça burocrática. Não podemos julgar os outros só porque estamos vivendo um grande drama.

Você vai perceber que, quando ficar curada, seus outros problemas voltarão a ter um peso grande no momento em que forem vividos e sentidos. Não tem jeito, o ser humano é completamente adaptável às condições mais adversas e consegue tirar prazer de momentos dramáticos e dores de momentos singelos. Mude a maneira como vai encarar os problemas daqui por diante e não pense que tudo vai sumir num passe de mágica quando a cura chegar. Vivemos num mundo dual, onde a dor e o prazer convivem de mãos-dadas, e é isso que nos faz enxergar a luz quando há a escuridão e dar tanto valor a um lindo castiçal com uma vela perfumada e flamejante!

TERAPIA

Surtando? Procure um psicólogo. Não é só o corpo que sofre com a carga pesada da química que recebemos, o lado emocional fica em frangalhos também! É enlouquecedor você conviver com a consciência da doença. O que nos difere dos animais, já sabemos de cor, é a razão. Sabemos da inevitável chegada da morte, mas vivemos a vida deixando para pensar nela depois. Quando você está com câncer, tem que aprender a conviver com a dita cuja, e de tanta proximidade, acaba até perdendo o medinho dela.

O grande lance é trabalhar bem a cabeça para querer mantê-la bem longe de você. Eu costumo brincar com meus amigos dizendo que a morte andou me sondando, mas, quando me viu de perto, saiu correndo assustada, porque encontrou uma pessoa tão vital, tão otimista! E isso era um antídoto poderoso contra ela.

Se já éramos seres pensantes, passamos a questionar ainda mais certas coisas; e se não éramos, passamos a ser: "O que eu fiz de errado? O que preciso fazer para dissolver esses nódulos? Será que serei outra pessoa? E se não mudar, será que serei punida?".

Milhões de quilowatts de pensamentos por segundo e seu cérebro já fritou. Seu coração apertado com tanta angústia existencial e você ainda cheia de dores no corpo; ninguém merece. Então, procure uma ajuda subjetiva: uma análise, uma terapia alternativa, grupos de apoio etc.

Faça absolutamente tudo que estiver ao seu alcance para se ajudar. Não tema, não tenha vergonha, nem culpa ou medo. Você está passando por isso e merece tudo de bom. Você pode tudo!

Você descobrirá coisas sobre si que nunca havia imaginado antes, e uma das coisas que mais escuto sobre o lado psicológico do câncer é: momento de fazer a tal da reforma íntima. Vamos começar?

TRABALHO

Não deixe de trabalhar só por causa do tratamento.

Em certos casos de tratamentos contra o câncer, realmente não é aconselhável a volta ao trabalho. Tenho uma amiga que viveu isso. O câncer dela era na perna, e ela teve que fazer uma cesariana para tirar um bebê, que nasceu prematuro. Fez a primeira parte do tratamento quimioterápico sem voltar ao trabalho, porém, aproveitou o tempo e criou uma *pâtisserie* virtual. Vendia trufas, *cupcakes*, brigadeiros e outras gostosuras. Criou embalagens lindas e usou sua arte para fazer uma coisa completamente diferente de sua área de atuação. Isso a renovou e lhe deu outro olhar, e ela ainda fez um dinheirinho extra.

O mais indicado, se for seu caso, é realmente voltar ao trabalho, porque viver a vida normalmente nos dá uma sensação de total inserção na sociedade. O tempo passa depressa, não ficamos focadas no problema, e, acima de tudo, nos sentimos produtivas.

Minha dica é a seguinte: se você tiver um trabalho que ame, volte para ele logo, se não tiver alguma impossibilidade física. Se tiver um trabalho que ame, mas não puder voltar durante o tratamento, peça a seus colegas que lhe passem tarefas que você possa fazer em casa, pelo computador. Ou então, crie algo novo, como fez minha amiga.

Se você estava infeliz, insatisfeita ou odiava seu trabalho antes de descobrir a doença, talvez seja essa a causa de seu problema e aí é hora da virada de jogo. Mudar sua vida profissional faz parte da tal reforma íntima de que tanto ouvimos falar. Pense no que realmente a faria feliz, e, mais do que nunca, lute por seus sonhos! Você descobriu com a doença que não deve adiar nada, que isso é uma grande armadilha que nós mesmos armamos. Não deixe nada para depois e seja feliz agora, *now*!

Eu sempre coloquei muito amor em meu trabalho
Cena do 1º TEASER "Quimioterapia e Beleza"

QUIMIOTERAPIA ● BELEZA

Mais uma vez, dou esses conselhos sempre pesando na balança os prós e os contras e usando o bom senso. Não faça nada que possa prejudicar mais sua vida. Tenha absoluta certeza do que quer e lute por sua realização profissional. O câncer nos abre portas, nos dá coragem e poder para peitar as antigas limitações e dificuldades. Sinta-se poderosa e ouse com sabedoria. Você pode fazer um golaço!

MODA

Perguntaram-me se podemos misturar estampas. Já consegui misturar até três estampas na mesma produção: do lenço,

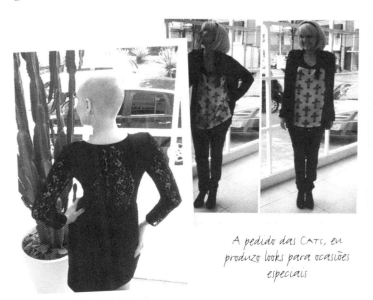

A pedido das CATs, eu produzo looks para ocasiões especiais

da blusa e da bolsa – não deu certo, não... Cuidado, meninas, assim vocês podem ficar parecendo o Agostinho Carrara de *A Grande Família*! Prefira roupas lisas para lenços estampados e vice-versa.

Comprar um sapato ou uma roupa nova não é pecado! Você deve consumir um pouquinho, não só remédios e terapias. Moda faz bem, nos deixa vivas!

NA BANHEIRA

Cats, banho de banheira é uma delícia. Eu quero uma banheira para mim!

Misture: uma *playlist* que a faça lembrar uma fase boa da vida, que a faça sorrir; óleo de lavanda ou outro aroma relaxante; velas, para dar aquele clima; esponja; sabonete líquido; máscara facial; esfoliante; toalhinha para nuca; pepino para os olhos; frutinhas para beliscar. E se tiver uma janela para ficar olhando para fora ainda... hummmm, eu quero!

Na banheira

AMIGAS

A beleza da amizade de verdade! Se elas ficaram ao seu lado, é porque a querem bem.

E eu tenho amigas de verdade! Nós nos vemos pelo menos uma vez por semana. Ana Virgínia está grávida de novo. Melissa e Gi também têm filhos. Manu, Ana e Melissa são casadas, a única livre, leve e soltíssima é Coia.

Amigas há quase vinte anos. Festas e viagens maravilhosas durante esse tempo.

Encontrex com as melhores amigas: Manu, Melissa, Coia, Gi e Ana Virgínia. Até a vó entrou na festa

Com as amigas Manu, Danika e Melissa em Balneário Camboriú

LEVANDO CANTADA NA RUA

E eu, que imaginei que de lenço não se levava cantada na rua... De peruca eu já havia levado, mas de lenço, é novidade para mim!

Eu achava que os homens teriam preconceito. Acho que se soubessem que estou com câncer não iam me chamar de gostosa ou de pernoca na rua. Acho que confundiram com estilo mesmo. Será?

Mas isso me fez perceber que eu estava radiante, estilosa, bem resolvida e bonita. Isso me fez muito bem! Meu gatinho dizia que eu parecia uma jovem judia rica passeando na rua.

Vale até passar na frente da obra para levantar a autoestima!

ENJOO

Ah, está enjoada? Aproveite para fechar a boca! Esse é um efeito que, principalmente durante a químio vermelha, vai acompanhá-la diariamente!

Consuma alimentos de fácil digestão e converse com seu oncologista sobre a necessidade da utilização de antieméticos, que são remédios para conter o enjoo. Para mim funcionava muito comer açaí e frutas geladinhas em geral.

Coma aos pouquinhos. Consuma pequenas refeições, cinco ou seis por dia, em vez de três grandes refeições. Ah, E evite o líquido enquanto come.

Espere que alimentos e bebidas esfriem para consumi--los. Evite os fortes: café, peixe, cebola, alho. Alimentos e bebidas fortes podem causar náuseas e vômitos.

Infelizmente, não há muito que fazer. Ficamos mareadas, como se estivéssemos dentro de um barco em alto-mar. A sensação também pode ser comparada àquele enjoozinho do começo da gravidez. Podemos tomar alguns remédios, mas nem sempre seguram a onda. Não dá para ler, nem para ver filme, nem para caminhar na rua. Bem complicado, não é?

Na químio vermelha o enjoo é bem pior. Na químio branca eu não senti quase nada de mal-estar.

AFTAS

Está com aftas? Aproveite para fechar a boca também!

Durante a quimioterapia vermelha, chupe gelo ou picolé durante a infusão para não aparecerem aftas nos próximos dias. Para a afta não arder, evite frutas cítricas e alimentos condimentados. Use um pouco de bicarbonato ou magnésia para cicatrizar mais rápido e coma muitas verduras e vegetais.

Supernormal ter muitas aftas durante as químios vermelhas. Já as brancas não me causaram aftas, foi bem mais tranquilo!

GOSTO RUIM NA BOCA

Escove os dentes, use antisséptico bucal, fio dental... Coma frutas e sucos naturais. Não há muito que fazer.

ESTOU EM FESTA

Quando alguém pergunta se estou bem – pois as pessoas ficam muito preocupadas comigo –, minha mãe afirma: "Ela está em festa". Não é que é verdade? Estou tão feliz que não sei se isso é normal.

Eu estava naqueles dias pós-químio vermelha, sentindo-me em câmera lenta, cheia de remédios. Acabei achando meu amigo Daniel Tupinambá no Facebook. Havíamos nos conhecido uns anos atrás numa festa, Marisa Orth nos apresentara e nos gostamos muito!

Falei que eu estava com câncer e ele se chocou. Mostrei-lhe minha página e ele ficou aliviado, disse que amou minha iniciativa e queria fazer um vídeo. Eu, bem chapadinha, disse que sim! Aí, combinamos tudo, e no outro dia, fui ao histórico das mensagens para ver o que eu havia combinado! E eu ia fazer um vídeo! Que loucura, que legal! Afinal, Marisa havia dito que ele é um diretor muito talentoso.

Eu havia feito as fotos com Clica e com Wlad, eles já estavam artisticamente me aceitando. Mas fiquei tensa ao gravar. A edição dele foi incrível, eu estava com tanto medo, falei tão mal, e ele conseguiu sintetizar exatamente o que eu tinha para dizer e não sabia como!

Assim que vi o vídeo fiquei completamente petrificada e pedi a ele para não o subir no YouTube. Eu estava apavorada de ver uma coisa tão linda acontecendo comigo!

Com Daniel Tupinambá

Em meu aniversário de 36 anos

QUÍMIO BRANCAS

Olá, vida, olá, *Cats*! Acabei de acordar da quimioterapia, que, apesar de umas complicações pela manhã, deu tudo certo. Não me deu alergia, nem asma, só um soninho tão bom!

TRATAMENTO

O motivo de tanta exposição de minha parte é mostrar para todo mundo, principalmente para quem está passando pelo tratamento, que podemos viver uma vida alegre, ser bonitas, namorar, ter estilo, sair, ir à praia. Podemos nos reinventar diariamente, fantasiar-se e viver uma fase Diva!

Mesmo fazendo o tratamento, sentindo-me mal sob os efeitos da químio, preciso confessar a vocês que senti uma felicidade imensa recebendo todo esse carinho! Sinto que tenho muita coisa para fazer e me encontrei como nunca havia me encontrado, compartilhando minhas ideias e sentimentos com vocês no meio dessa doença que não tem critério.

A vida é muito engraçada mesmo. Como posso sentir essa alegria toda se estou passando por um câncer?

Nada de tristeza, *Cats*, hoje é dia de tratamento. Ainda bem que existe um tratamento, não é?

Na químio. Este é o Herceptin. As brancas já haviam acabado e meu cabelo estava crescido

EFEITOS COLATERAIS DA QUÍMIO BRANCA

- Dores nas articulações
- Dores de cabeça
- Constipação
- Inchaço
- Calorões
- Mas dizem que é bem melhor que a vermelha

CICATRIZES

Cicatrizes fazem parte do tratamento contra o câncer porque são resultado de cirurgias necessárias para a retirada dos tumores. Nem todo mundo passa por isso, depende muito do tipo de tumor. Minha amiga, aquela que descobriu o câncer chamado leiomyosarcoma durante a gravidez, acabou de passar por uma cirurgia supercomplexa que durou oito horas e foi quase inédita no país, por conta da localização tumoral. O danado se enrolou na veia femoral superficial e profunda da perna esquerda e envolveu veias, artérias e músculos. A solução encontrada pela equipe cirúrgica foi abrir a outra perna e retirar a safena para substituir a artéria comprometida. Imagine como ela ficou depois: uma pequena Frankenstein.

No dia seguinte à cirurgia, ela tinha um dreno em cada uma das pernas para retirar o excesso de sangramento. Como foi rápida a recuperação, houve troca de curativos (feita pelos médicos) durante seis dias. E no sétimo dia ela descansou e teve alta.

Cuidados com os pontos:

• Para tomar banho, enrole o local dos pontos com papel filme, aquele de cozinha mesmo, ou use um saco grande de lixo. Não molhe os pontos! Caso isso aconteça, use secador de cabelos.

• Após o banho (pode ser de gato também!), aplique sobre os pontos a solução Riohexo 0,5% com uma gaze. Deixe secar naturalmente.

• Outra dica imprescindível é não tomar sol depois da cirurgia, porque as cicatrizes podem escurecer e as equimoses (aquelas manchas roxas da própria cirurgia) ficarão com aspecto de tatuagem. Isto acontece porque o ferro presente no sangue se concentra na equimose, e com a ação do sol, marca a pele. Quem toma muito sol após a cirurgia também sente maior inchaço e latejamento, devido à ação da vasodilatação. Então, *Cats*, praia só em pensamento!

• Cicatrizes podem ser suavizadas e até desaparecer com o tempo, mas o importante é que são a marca de sua história, de sua luta. Por isso, nunca tenha vergonha delas. São as marcas da vida no corpo que contam quem você é e o que passou. E se está viva e saudável, pode dizer que também foi graças a elas!

Vivam nossas cicatrizes!

CABELOS

Minha sugestão é cortar o próprio cabelo para confeccionar uma peruca natural para você usar. Se você tiver pouco cabelo, peça um rabo para alguém que cortou o cabelo e está parado em casa, ou mesmo que uma amiga corte o dela para você.

A químio vermelha faz mesmo os cabelos caírem, *Cats*, catorze dias depois da primeira aplicação. Mas não é tão ruim assim, sabia?

Na parte de trás, depois que raspei o cabelo, sobraram uns toquinhos que pareciam barba, e para dormir era muito desconfortável! Como meu médico disse para eu não usar lâminas, e sim aqueles cremes depilatórios quando tivesse pelos, passei esse creme na cabeça toda. Ai, que coisa fedida! E não deu muito certo, aquele creme não saía da minha cabeça. Passei xampu, e o cheiro me deu um enjoo danado. Raspei com a lâmina mesmo!

Uma piadinha para descontrair, que eu recebi de meu irmão Thiago.

Uma mulher acordou uma manhã após a quimioterapia, olhou-se no espelho e percebeu que tinha somente três fios de cabelo na cabeça. "Bom", ela disse, "acho que vou trançar meus cabelos hoje". Assim fez, e teve um dia maravilhoso!

No dia seguinte ela acordou, olhou-se no espelho e viu que tinha somente dois fios de cabelo na cabeça.

"Hummm", ela disse, "acho que vou repartir meu cabelo no meio hoje". Assim fez, e teve um dia magnífico!

No dia seguinte ela acordou, olhou-se no espelho e percebeu que tinha apenas um fio de cabelo na cabeça. "Bem", ela disse, "hoje vou fazer um rabo de cavalo". Assim fez, e teve um dia divertido!

No dia seguinte ela acordou, olhou-se no espelho e percebeu que não havia um único fio de cabelo na cabeça. *"Yeeesss!"*, ela exclamou, "hoje não tenho que pentear meu cabelo".

ATITUDE É TUDO! Seja mais humano e agradável com as pessoas. Cada uma das pessoas com quem você convive está travando algum tipo de batalha. Viva com simplicidade. Ame generosamente. Cuide-se intensamente. Fale com gentileza. E, principalmente, não reclame.

Preocupe-se em agradecer pelo que você é, e por tudo o que tem!

FLAVINHA

É como a peruca feita com meus cabelos se chama. Era janeiro, eu havia voltado da viagem que fiz para o Rio Grande do Sul à casa de minha tia e prima. Foi uma viagem muito estranha, pois estava sempre me sentindo mal por causa das químios vermelhas. Mesmo assim, eu me aventurei nessa viagem logo depois do Natal.

Daniela, que mora no interior de São Paulo e que eu ainda não tive a chance de conhecer pessoalmente, sempre conversava comigo no Skype, no Face... E conversávamos bastante. Eu havia acabado de raspar os cabelos e mostrei a ela. Então, chegou a hora da primeira químio dela. Ela desandou a chorar, mas muito! Dizia que não ia cortar os cabelos, que não ia perder os cabelos, que não queria mais fazer químio! Ela não ia começar.

Eu me apavorei e procurei saber o que se passava na cabeça dela. Ela me disse que não tinha dinheiro para comprar uma peruca decente, de fios naturais. Na hora ofereci meus cabelos para ela confeccionar uma peruca.

Eu sabia que só com meus cabelos não se fazia uma peruca. Já havia ganhado de uma amiga dois rabos, que usaria também para fazer uma peruca, talvez.

Flavinha ficou linda! Uma morena chique!

Esta é Daniela, vestindo a Flavinha

QUIMIOTERAPIA *e* BELEZA

AS PESSOAS ME ENTENDEM NA MAIORIA DAS VEZES

Eu me emocionei com o texto que Camila Monteiro me mandou; ela fez o texto e o desenho para mim.

Alguém comentou que ela não podia mais sonhar.
Achavam que havia algo de errado naquela menina com apenas um laço na cabeça e nada mais.
Falavam: "Essa menina está frágil demais para sonhar, afinal, já passou por tantas coisas, coitadinha".
Ela, então, tirou de sua bolsa uma caixa de lápis de cor e desenhou um pássaro bem em cima de sua cabeça; deu um impulso para trás e voou.
Era só fechar os olhos que ela estava lá no meio das estrelas, nada a segurava.
Menina tinha nos pés: o mundo;

na cabeça: um passarinho
e nas mãos: puro afeto e desejos que
transbordavam entre seus dedos.
Que mais ela queria?
Todos ficaram surpresos. Eita, confundiram a
menina-pássaro com uma boneca de porcelana!
E esqueceram que toda menina carrega uma bolsa
cheia de sonhos, asas, sorrisos e abraços... independente
de quem ela seja.

NEM TUDO SÃO FLORES, FLÁVIA FLORES

Tem dias que a gente não quer sair da cama. Mesmo com tudo certo, é natural se sentir para baixo.

ASSUSTANDO AS CRIANCINHAS

Estava muito calor no interior do Rio Grande do Sul, quarenta graus à sombra, e ainda sofrendo com os efeitos da quimioterapia, eu não conseguia nem usar um lenço. Meu cabelo havia acabado de cair e eu não tinha ainda jeito com os lenços, usava apenas perucas.

Eu andava dentro de casa careca quando minha priminha de três anos me questionou:

– Tia, quando você sai na rua não sai careca, né?

– Não, Bibi, na rua uso peruca, aquelas que a gente provou juntas, sabe?

– As pessoas ficam olhando para você, não é?

– Normal, né, Bibi.

– Normal sou eu, que tenho cabelo na cabeça.

Ela saiu resmungando.

Que senso de humor, pelamor... Pelo menos ela me olhava nos olhos. Já fiz outras crianças chorarem de medo.

REDES SOCIAIS

Como nem todos são adeptos ao Facebook, fiz um *site* para atingir o máximo de pessoas e pacientes possível. Agora, aquele amigo que não se entregou ao Facebook, aquela tia que tem, mas não sabe usar; todos podem conhecer e participar! Lá estão os vídeos, fotos, matérias... Hoje o *site* é simplesinho, mas, futuramente, prometo fazer um *supersite* – quem sabe um portal, um superprograma audiovisual, superpalestras, superencontros, supereventos com superparceiros, e quem sabe uma superfundação para pôr em prática todas as ações que tenho em mente?

Orgulhosamente, apresentooooooo:
www.quimioterapiaebeleza.com

PERUCAS

Quando comecei a usar perucas, eu não tinha ideia dos cuidados que devia ter com suas madeixas. Eis umas dicas.

Como usar:

Encaixe a peruca na cabeça com cuidado, atentando para não a embaraçar enquanto a coloca. Lembre-se de prender os ajustes atrás (na parte de baixo da peruca, um elástico de cada lado), na altura que ficar mais firme e confortável. Esse é o ajuste de tamanho que toda peruca possui.

Limpeza:

Para lavar a peruca podemos utilizar xampu e condicionador. Numa bacia com água, coloque o xampu e mergulhe a peruca. Não a deixe de molho, apenas mexa delicadamente, cuidando para não embaraçar. Enxágue mergulhando-a numa bacia com água e condicionador. Deixe secar na sombra, pendurada de maneira delicada.

Lave-a com moderação: não é bom mantê-la suja, seja por produtos de cabelo ou pelo suor; nem lavar muito frequentemente – elas estragam.

Essas dicas servem tanto para perucas cacheadas/onduladas quanto para lisas. Os cachos voltam ao normal depois de secos.

QUIMIOTERAPIA e BELEZA

Como guardar:

Sempre guarde a peruca na redinha de proteção que vem junto. E depois, guarde-a dentro de um plástico (aquele que vem com a peruca) ou caixa.

Guarde-a enrolada ou até trançada, para evitar embaraçar. Nunca guarde a peruca suja ou embaraçada.

Podem falar o que quiser, mas as perucas são diversão garantida! Podem ser compradas em lojas de fantasia a partir de dez reais! Mas se elas desmancharem antes de você voltar para casa, não reclame; quanto mais barata, mais descartável é. Existem as perucas sintéticas que você pode encontrar em lojas de suplementos para lojistas, de manequins mesmo. Existem a 100% *human hair*, que é processado, não é real, não – essas custam de duzentos a seiscentos reais.

Peruca é diversão garantida!

Existem as sintéticas de alta qualidade, que são um pouco mais caras que as sintéticas, e você pode até fazer chapinha nelas; e as perucas de fios naturais; essas são caras, você não encontra por menos de oitocentos reais.

Depois de lavar, escovar e passar até chapinha, minha peruca morena longa não resistiu! Ela é sintética, não aguenta o calor, e esturricou inteira!

Antes de jogar fora, usei por um tempo com uma trança amarrada. Ficou um charme! Antes de jogar a sua fora, invente um penteado para ela!

BANCO DE PERUCAS?

Existem algumas fundações que apoiam as mulheres com câncer, e até peruca eles mandam de graça para quem precisa. Existem vários bancos de perucas, lenços e acessórios para meninas que não têm condições de comprar. Portanto, se você precisa mesmo de uma, procure um banco de perucas. E se não precisa mais da sua, doe!

Associação Brasileira de Apoio aos Pacientes com Câncer (RJ)
Site: www.abrapac.org.br/perucas.htm
Telefone: (21) 2223-1600

Banco de Chapéus e Perucas – Instituto da Mama (RS)
Site: www.institutodamama.org.br/
Telefone: (51) 3264-3000/ 8451

QUIMIOTERAPIA & BELEZA

Centro de Oncologia do ABC (ABC Paulista – SP)
Site: www.oncologiaabc.com.br/
Telefone: (11) 4433-3053

Fundação Laço Rosa (RJ)
Site: www.fundacaolacorosa.com
Telefone: (21) 2255-1084

Grupo Rosa e Amor – Valinhos (SP)
Site: www.gruporosaeamor.org.br/
Telefone: (19) 3869-7899

Instituto Neo Mama de Prevenção e Combate ao Câncer de Mama
Site: www.neomama.com.br/
Telefone: (13) 3223-5588

Projeto Aurora – Araraquara (SP)
Telefone: (16) 3334-2253

Rede Feminina de Combate ao Câncer de Xanxerê (SC)
Site: www.redefemininaxanxere.org.br/
Telefone: (49) 3433-7444

LENÇOS

Muitas de vocês me perguntaram onde se compra lenço no mercado. Em primeiro lugar, eu procuro nos camelôs, pois são mais baratos. Encontro alguns lisos, importantes para compor o visual, e custam entre quinze e vinte reais.

Para umas peças mais exclusivas procurem as boutiques. Os preços variam entre trinta e cem reais, e se for uma ocasião especial, vale a pena!

Amarração número 1 – Use as duas maiores pontas para fazer um nó firme na altura da nuca, agora com as três partes do triângulo faça uma trança

QUIMIOTERAPIA e BELEZA

Amarração número 2 — Com um lenço retangular, amarre um nó na altura da nuca. Com as duas pontas faça um laço bem lindo

Amarração número 3 — Amontoe o corpo do lenço deixando as três pontas pra fora e, usando um elástico de cabelo, amarre o pano dando uma ou duas voltas no elástico formando um pequeno coque

Amarração número 4 — Coloque o lenço sobre a cabeça, e amarre-o na altura da nuca. Com essas duas pontas torcidas, cruze-as no topo da cabeça e finalize escondendo as pontas e excesso de tecido empurrando tudo pra dentro

Amarração número 5 — Comece pela nuca, junte todo o tecido no topo da cabeça e cruze as duas pontas. Amarre com firmeza com um nó simples na nuca e traga todo o pano para um lado, cobrindo o seio

QUIMIOTERAPIA ● BELEZA

Amarração número 6 — Com o laço quadrado dobrado em triângulo, junte as duas pontas laterais e faça um nó firme na altura da nuca

TURBANTES

Turbantes são lindos e superfáceis de usar. Está na novela, mulheres chiques usam muito turbantes mundo afora; aqui no Brasil não é muito comum, mas em algumas lojas *on-line* você pode encontrar. Existem lisos, estampados, atoalhados, com brilho e aplicações.

O turbante, na maioria das vezes, é feito com *lycra*, e atrás tem um tipo coque/flor, que dá um efeito de voluminho. Um luxo! E a estampa de búzios é linda.

Quero uns três desses, Papai Noel! E um chapéu com proteção solar! E uma peruca ruiva! E porta-perucas para guardar as minhas sete perucas! E uma base com FPS 60! E o mais importante, minha cura!

Nada de tristeza!

Os turbantes são uma ótima opção, confortáveis e elegantes

PRÓTESES CAPILARES

Eu não resisti e adquiri duas próteses capilares! É impressionante o conforto, a leveza e a textura. São feitas com cabelo natural, fixados numa tela que parece mesmo o couro cabeludo.

QUIMIOTERAPIA ● BELEZA

Eu quis ficar loira. Chamem-me de Kate se me virem linda e loira na rua – Kate, de Kate Moss.

A prótese capilar é a solução mais perfeita para gente que perde os cabelos temporariamente; você pode ficar até trinta dias com ela sem tirar, pode lavar os cabelos no chuveiro, secar com secador, entrar no mar, namorar e tudo!

Quando uso a prótese morena eu me transformo na Angelina (de Angelina Jolie mesmo), uma verdadeira Mulher Maravilha!

O incrível das próteses é que elas são fixadas com uma fita dupla face poderosa que nos deixa superseguras até para fazer uns penteados! Vou tirar da gaveta minhas tiaras, tic-tacs e acessórios que havia deixado de lado, porque numa peruca normal não consegui usar.

Na clínica NVH, escovando minhas próteses capilares; e loira, estilo boneca

ACESSÓRIOS

Bom-dia! Meio preguiçoso porque acordei tarde. Ontem fiz químio e não dormi muito bem.

Mas o dia está cheio, então, o negócio foi tomar um banho e fazer uma produção alegre para me sentir bem!

Como o clima aqui na ilha está fresquinho, resgatei outra peruca do armário e um gorrinho que ganhei de minha amiga Grace. Achei que supercombinou.

Hoje vou sair linda e loira, pois as loiras se divertem mais!

Optei por esse terceiro acessório: a boina de crochê. Ela é prática, fresquinha, jovem e cheia de charme.

Acessórios juntos e separados valem em todas as fases do tratamento

… I LOVE MY EX

Grandes amigos, hoje. Quando preciso de alguma coisa, até mesmo um elogio, ou uma real, um carinho, conforto, ligo para um deles.

MAQUILAGEM

Ao iniciar uma maquilagem é sempre importante limpar, tonificar e hidratar a pele. Dessa forma, você vai evitar que cravos e espinhas apareçam, e ainda, controla a oleosidade da pele, impedindo que perca seu brilho e, desta forma, prolongando a duração da sua *make*.

Para fazer a limpeza da pele você deve usar um sabonete próprio para seu tipo de pele (mista a oleosa ou normal a seca). Para tonificar a pele é necessário o uso de um tônico, que vai remover as células mortas e restos de maquilagem, proporcionando vários benefícios, como a eliminação de toxinas, preparação da pele para uma hidratação. Além disso, suaviza, acalma e refresca a pele.

Vai aí uma dica de receita caseira de tônico:

Ingredientes:

1 kiwi, 1 copo de suco de maracujá, 1 manga e 1 potinho de iogurte natural.

Para preparar, descasque o kiwi e amasse bastante até formar uma pasta. Aplique na pele e retire com água fria. Utilizando uma gaze, faça compressas com o suco de maracujá e deixe agir por vinte minutos. Bata o iogurte com a manga no liquidificador e aplique no rosto e pescoço, deixando agir por quinze minutos. Logo após, lave o rosto com sabonete neutro de sua preferência.

Nunca deixe de limpar a pele e retirar a maquilagem antes de dormir. Assim, você vai eliminar obstáculos para que sua pele se renove durante a noite e respire livremente, impedindo novos cravos, espinhas e o envelhecimento precoce.

Para as peles secas não é interessante utilizar um tônico que contenha álcool, pois pode deixá-la ainda mais ressecada. No caso da pele oleosa, pode-se utilizar um tônico com álcool, mas não com excesso, pois esse tipo de produto dá o efeito rebote: depois de alguns minutos, a pele pode ficar mais oleosa que antes.

***Primer* ou pré-maquilagem**: O *primer* é um produto ainda novo no mercado, mas a cada dia mais e mais procurado nas lojas de cosméticos. É utilizado para preparar a pele para a maquilagem, seja no rosto, na boca ou nos olhos. É feito à base cera, ou seja, substâncias que fixam a maquilagem na pele, proporcionando mais durabilidade a ela, além de uma aparência muito mais natural.

Outra função muito legal do *primer* é disfarçar as linhas de expressão. Com seu uso, essas linhas de expressão são preenchidas. Também minimiza os poros abertos e mantém sua base perfeita para o dia a dia.

***Primer* para o rosto:** uniformiza a pele do rosto, segura a oleosidade e aumenta a fixação da maquilagem.

***Primer* para os lábios:** hidrata e preenche linhas.

***Primer* para os olhos:** aumenta a fixação das sombras e potencializa as cores.

Dica:

• Deixe o *primer* secar antes de aplicar a base, sombra ou batom.

• Aplique o *primer* com os dedos, nas áreas que desejar, sempre com as mãos limpas. Aplique-o sempre na mesma direção, dessa forma, você evita que se esfarele e não fricciona muito a pele, o que estimula sua oleosidade.

PINCÉIS

Pincel de base: Tem o formato achatado e fino, e assim, permite espalhar a base cremosa ou líquida por igual.

Coloque um pouco de base nas costas da mão e vá molhando as pontas das cerdas do pincel. Coloque base no centro do rosto (nariz, queixo, bochechas) e espalhe-a para as laterais, dando batidas com o pincel para a cobertura ficar uniforme. Desta forma você vai espalhando a base para as extremidades do rosto até a pele ficar com um efeito aveludado.

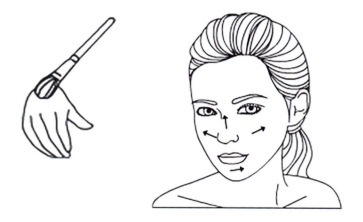

Pincel de corretivo: É achatado, fino e menor que o pincel de base e tem as extremidades quadradinhas. Esse pincel ajuda a camuflar as olheiras com precisão.

O corretivo deve ser usado para camuflar manchas e cicatrizes que a base não camuflou. Pode ser usado nas olheiras, abas do nariz, em volta da boca e no arco da sobrancelha. Deve ser aplicado principalmente nas olheiras, dando batidinhas leves, para não agredir a pele.

Pincel para pó: Esse pincel tem muitos pelos e é redondo, para poder cobrir de uma só vez as áreas maiores do rosto.

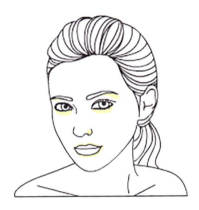

Com movimentos de vaivém, passe o pincel no centro da testa, nas laterais do nariz, sob os olhos e no centro do queixo, que são lugares que sempre pedem uma aplicação de pó para tirar a oleosidade. Para acertar na quantidade, antes de aplicar o pó no rosto dê umas batidinhas no pincel para tirar o excesso do produto.

Pincel de *blush*: Esse pincel tem as cerdas arredondadas ou chanfradas, que é mais adequado para marcar as maçãs do rosto.

Passe o pincel no sentido das maçãs do rosto para as orelhas. Para retirar o excesso do *blush* e não errar na quantidade, dê umas batidinhas no pincel com o produto antes de aplicá-lo.

Pincel para os olhos: Para passar a primeira camada de sombra utilize o pincel com espuma ou de cerdas achatadas.

Para esfumar a sombra utilize o pincel com cerdas mais fofinhas e formato oval.

Fazendo movimentos curtos e leves de vaivém na região do côncavo, você deixa a sombra com efeito mais natural.

Para delinear pálpebra, corrigir sobrancelha e contornar linha dos cílios, utilize um pincel com cerdas finas e durinhas, ou seja, o pincel chanfrado.

Para deixar a sombra com efeito mais marcado, umedeça a ponta do pincel chanfrado, passe-o na sombra e faça um traço grosso rente aos cílios. Depois, puxe o traço para o canto externo dos olhos.

Para fazer um traço bem fino na linha dos cílios e criar efeito de delineador cremoso, utilize o pincel de ponta bem fina e cerdas juntinhas.

Trace uma linha com um lápis ou delineador rente aos cílios e depois utilize o pincel.

Como limpar seus pincéis: Lave-os com um xampu neutro. Seque com papel toalha ou um lenço umedecido e NUNCA os guarde sem que as cerdas estejam completamente secas. A lavagem pode ser feita a cada quinze dias.

CORRETIVOS

Os corretivos podem ser coloridos também, como lilás, amarelo, verde, coral e vermelho, e não só nos tons de pele. A finalidade deles é também camuflar as imperfeições da pele (olheiras, pequenos vasinhos, hematomas e outras).

Para obter uma pele uniforme e sem imperfeições é complicado apenas com o uso do corretivo cor de pele. As imperfeições têm diversas cores, desde espinhas vermelhas até olheiras verdes e marrons. Por esse motivo precisamos usar corretivos com tons que anulem as cores das imperfeições da nossa pele.

- **Corretivo amarelo:** neutraliza olheiras roxas;
- **Corretivo coral:** neutraliza vitiligo em peles claras;
- **Corretivo lilás:** neutraliza manchas amarronzadas, amarelo/laranja e espinhas inflamadas;
- **Corretivo verde:** neutraliza acnes, vasinhos e cicatrizes avermelhadas;
- **Corretivo vermelho:** neutraliza manchas brancas.
- **Corretivo líquido:** ideal para peles que não precisam de muita cobertura.

- **Corretivo de bastão:** ideal para peles que precisam de cobertura.

Abaixo, uma explicação para você identificar qual cor de corretivo serve para seu tipo de mancha.

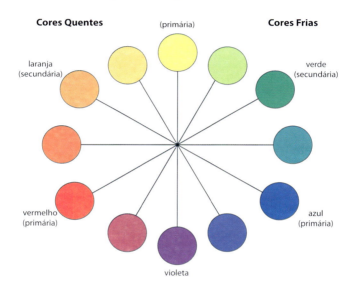

SOMBRAS

Existem algumas regrinhas de cores que nos ajudam na escolha das sombras. Segue abaixo:

Olhos castanhos são os mais encontrados, e as cores de sombras mais adequadas são: verde, azul, lilás, cobre, bronze, laranja e preto. Evite usar tons terrosos.

Para os olhos cor de mel ou castanho esverdeado, o ideal são tons prata, grafite, rosa claro, violeta, azul, cobre e marrons mais escuros.

Para os olhos pretos, o ideal são cores claras ou peroladas.

Para os olhos de tons acinzentados as cores ideais são lilás, azul, violeta, grafite e preta. As sombras prateadas os escondem.

Os olhos verdes devem usar marrom, mel, cinza, grafite e cobre.

Os olhos azuis devem usar tons terrosos, cobre e dourado.

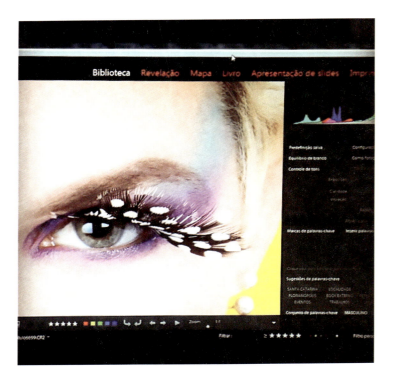

BASE

A base é muito importante para uma maquilagem bem elaborada. Para escolher o produto certo, sempre o experimente no rosto, nunca na mão. Escolha sempre a base da cor de sua pele.

Tipos de base:

- **Líquida:** é a mais transparente, não proporciona total cobertura e sim efeito natural e discreto.
- **Cremosa**: é a que cobre com maior eficiência as imperfeições. Não é indicada para peles oleosas.
- *Pancake*: se dissolvido em água, dá maior cobertura, fica mais pesado e opaco. Se aplicado seco, dá uma cobertura mais natural. Não deve ser utilizado em pele madura com linhas de expressão.
- **Compacta**: dá uniformidade, cria o efeito de base e pó ao mesmo tempo.

Tipos de pele:

- **Peles secas**: dê preferência às bases em bastão, pois proporcionam uma cobertura mais forte.
- **Peles oleosas**: dê preferência às bases *oil free*, que são as mais leves para esse tipo de pele. E ainda existem as líquidas de efeito mate.
- **Peles normais ou mistas**: dê preferência às líquidas ou às compactas.

QUIMIOTERAPIA ● BELEZA

BLUSH

Antes de aplicar a cor diretamente no rosto retire o excesso do produto. Sempre aplique o *blush* depois de terminar a maquilagem dos olhos e dos lábios. Desta forma, pode ajustar melhor a intensidade da cor no rosto.

Tons e cores do *blush*
- **Para o dia:** pêssego, salmão, rosa claro e rosa médio.
- **Para a noite:** terra, bronze claro, cobre escuro, marrom terra.
- **Peles claras** costumam ficar bem com *blush* rosado. Já as **morenas**, com os amarronzados e laranja.

PÓ

O pó é ideal para disfarçar a oleosidade. Existem dois tipos de pó: o compacto, que é mais indicado para esconder imperfeições, e o solto, ideal para tirar o brilho da pele.

O centro da testa, laterais do nariz, sob os olhos e o centro do queixo são os lugares mais indicados para usar pó. Para as peles ressecadas deve-se tomar cuidado ao usá-lo, pois ele marca ainda mais as linhas de expressão.

CÍLIOS E SOBRANCELHAS
Dicas de Fabiana Silvy

Um produto que eu testei foi o Lipocils; ele segura nossas sobrancelhas e cílios no lugar. Na real, segurou bem minhas sobrancelhas. Já os cílios, de tanta cola para cílios postiços que eu usei, não existe milagre para isso, não é? Cada vez que eu tirava os cílios sem molhar primeiro, era como houvesse depilado com cera os pequenos pelinhos que estavam crescendo.

Lipocils é um produto importado, minha amiga Ana trouxe de fora para mim. Vocês podem encontrá-lo em lojas de cosméticos ou *sites* especializados. Contaram-me que existe uma versão brasileira do produto, mas eu não testei.

Para colar os cílios postiços, veja as dicas a seguir.

Feita a pele, use uma sombra da cor de sua preferência e passe o delineador ou um lápis de olho em todo o comprimento do olho, desenhando uma linha onde se deverão colar os cílios.

Meça os cílios e corte o excesso, sempre descartando a parte mais longa. Passe uma camada fina de cola na linha da raiz dos cílios, espere quarenta segundos e fixe-os, cuidando para não entrar cola em seus olhos, já que sem os cílios naturais, os postiços podem escorregar para cima ou para baixo.

As sobrancelhas podem ser pintadas com sombra marrom, ou de acordo com o tom de sua pele, usando um pincel chanfrado de dentro para fora. Pode usar lápis de sobrancelhas, e se você perder todos os pelos, existe um molde de sobrancelhas que se encontra em lojas de cosméticos ou catálogos da Avon.

Se você tiver uma mão pesada, procure um lápis de sobrancelhas bem sequinho, pois o resultado é mais natural. *Design* de sobrancelhas com hena fica ótimo também, escurece os pelos, marca o olhar e não dá trabalho. Procure um profissional habilitado em sua região.

Fiz um vídeo ensinando a colar os cílios postiços, confiram no Youtube

QUIMIOTERAPIA *e* BELEZA

Tonalizando os cabelos e fazendo sobrancelhas de hena, com a minha amiga Fabi

PASSO A PASSO DA *MAKE UP*

Prepare a pele, use o sabonete líquido tônico, filtro solar, hidratante e, se quiser, o primer. Todos esses produtos devem ser próprios para seu tipo de pele facial

FLÁVIA FLORES

Para igualar a cor da pele, disfarçar manchas e imperfeições, use a base e o corretivo

Use uma camada fina de pó compacto nas partes mais oleosas do rosto

Pinte com cuidado as sobrancelhas com pincel chanfrado e sombra marrom

Para uma maquilagem do dia a dia, use uma sombra clara em toda a área dos olhos, e uma mais escura no côncavo, para dar profundidade ao olhar

QUIMIOTERAPIA e BELEZA

O lápis é usado tanto em cima quanto embaixo dos olhos, bem de leve, no sentido do meio para fora

Finalize os olhos com máscara de cílios

O blush deve ser passado com delicadeza

E um batom de sua preferência

FLÁVIA FLORES

Para uma make mais marcada, mais sexy, use mais sombra marrom e preta

Carregue no lápis ou delineador

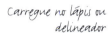

Meça e corte o excesso dos cílios postiços

E com o auxílio de uma pinça, fixe-os logo acima dos seus cílios. Se você não tiver nenhum cílio, siga o traço do delineador

QUIMIOTERAPIA *e* BELEZA

Pronto! Uma make linda e superfácil de fazer

UNHAS

Não são apenas os cabelos que sofrem com a químio; a pele, as mucosas e as unhas também. Podemos frequentar a manicure durante o tratamento? Podemos, sim! Mas alguns cuidados devem ser tomados.

Nunca tirar a cutícula; elas protegem nosso corpo de bactérias e infecções. Use um creme para empurrar a cutícula com uma espátula bem esterilizada, em seguida tire o excesso de pele com um palitinho, descartável. Além do que, nossa cicatrização também fica lenta, um pequeno corte demora muito a sarar. Cutículas empurradas, tire o excesso de creme com removedor de esmaltes e passe uma base fortificante.

Muitos médicos nos proíbem de pintar as unhas; realmente, elas ficam manchadas por causa do esmalte escuro. As unhas estão fracas, mas eu não gosto de deixá-las sem esmalte; então, deixo uma semana com esmalte e uma sem.

Corte e lixe as unhas como de costume, e se quiser lixar os pés, pode, só que de leve.

Esmalte em gel seca na luz LED. Não é unha de gel e promete manter o esmalte sem lascar e fortalecer as unhas durante duas ou três semanas.

Cuidando das unhas

GRAVIDEZ

Você não pode engravidar durante o tratamento quimioterápico! Se isso acontecer, seu tratamento poderá ser suspenso, e isso não é nada bom. Então, use camisinha, já que hormônios são proibidos durante a quimioterapia.

CHÁ PARA AS AMIGAS

Queda de cabelo é o efeito mais comum da quimioterapia. Os médicos insistem em dizer que pode acontecer de você não os perder, de caírem total ou parcialmente. Prepare-se adquirindo lenços, perucas ou chapéus, antes que os fiozinhos comecem a cair.

Uma ideia seria um chá para as amigas; você prepara um lanchinho e convida a mulherada para assistir a meus vídeos e discutir sobre os *posts*. Cada uma leva um presente: lenço, chapéu, gorro, peruca... Um artifício de beleza. Maquilagem também serve!

Isso quebra o gelo e você pode se mostrar firme e forte diante do tratamento. Faça um convitinho bem-humorado e peça ajuda a sua família para preparar os comes e bebes.

Se a mulherada for animada, até pode rolar um espumante nesse encontro!

CORAÇÃO

Eu estava saindo para uma viagem a São Paulo quando uma médica da equipe que cuida de meu caso me telefonou: "Oi, Flávia, queria lhe dar uma posição sobre seus exames". Putz, da última vez que um médico me ligou assim com exames na mão, acharam um câncer em minha mama. "O exame de sangue está muito bom, a imunidade está alta, contagem tumoral sob controle. Tem um carocinho no útero, mas já existia antes do tratamento, então, deve se tratar de um resíduo hormonal." E blá-blá-blaá... E no exame do coração apareceu uma alteraçãozinha no ritmo cardíaco. Isso acontece devido à quimioterapia, e eu me apavorei, confesso.

Fiquei achando que meu coração estava batendo devagar, não conseguia dormir pensando nisso, ouvindo minha respiração e minhas batidas cardíacas. Pensei o pior.

Em junho, meu médico pediu uma bateria de exames para ver como estava meu "corpitcho" e se ele aguentaria outra fase do tratamento. Entre tantos, fui fazer um ecocardiograma.

Como contei anteriormente, deu uma diferença bem grande na força que meu coração tinha antes do tratamento em comparação com o agora. Passei por outros exames, disseram-me que se realmente houvesse algum risco eu teria que suspender a quimio até que meu coração voltasse ao normal.

Refizemos o eco e... surpresa! Ele voltou ao normal! Agradeci pelas orações e mensagens de força!

Mas, deixe-me contar um segredo: o médico que fez meu primeiro eco era um gaaaatooooo! Com certeza foi ele que assustou meu coração e fez com que ele quase parasse!

Esse meu coração sem-vergonha... Me deu um susto!

CARTÃO-CÂNCER

Logo no primeiro mês que soube que estava doente ganhei de Ângela um livro que recomendo a todos que estão doentes: *Câncer, e agora?*, de Kris Carr (Ed. Globo). O nome é meio cafona, mas o livro é ótimo. Detesto livros sobre câncer, têm muito nome difícil, muita pesquisa, tudo tem percentagem, ihhhh, me dá nos nervos aquilo. Esse não. É o relato de uma atriz americana de vinte e cinco anos que tem um câncer que não tem tratamento. Ela muda seu estilo de vida e consegue estacionar o bicho. Só que ela é superengraçada e tem futilidades deliciosas. Esse livro me inspirou.

Cartão-câncer é um direito que você acha que tem assim que descobre que está doente. No começo, eu só pensava nisso. Infringi leis achando que estava abafando. Sabe quando tem uma fila enorme de carros e vem um engraçadinho, fura a fila e atrapalha todo mundo? Era eu. Pensava: "Estou com câncer, posso". Fila grande no hortifruti? (Hortifruti está virando uma obsessão.) Ficava na fila de idosos e deficientes. "Estou com câncer, posso." Chegar atrasada? Posso. Dar patadas nos familiares? Pooooosso! Depois, passei a usar meu cartão para coisinhas (isso eu continuo fazendo) tipo: "Huuum, pega uma água de coco para mim na cozinha?"; "Paga essa conta no banco? Tô cansadinha!"; "Ah... não posso ir à reunião-cilada, quimioterapia dá sono..."

Texto tirado do *blog Força na peruca*, de Márcia Cabrita.

SAÚDE BUCAL

Por várias importantes razões médicas, os pacientes de câncer não podem descuidar de sua saúde dental. A quimioterapia inclui um tratamento farmacológico para matar as células cancerosas, mas pode promover uma gama de problemas da saúde oral. Os medicamentos usados na quimioterapia podem promover o aparecimento de boca seca, que é parte do quadro geral de deterioração dental.

Além disso, os fármacos da quimioterapia podem afetar a capacidade de coagulação do sangue, e os pacientes experimentam gengivas que sangram ou têm maior predisposição a feridas orais. A maioria dos pacientes pode continuar, de forma segura, com a escovação e o uso de fio dental. O paciente deve usar uma escova de dentes macia ou fio dental macio, para favorecer o cuidado com os dentes durante a quimioterapia.

É importante consultar o dentista para tratar dentes e gengivas antes de iniciar um tratamento de quimioterapia. O dentista pode detectar qualquer problema potencial, tal como a necessidade de restaurações ou limpeza ou outro cuidado dental, antes de o paciente se submeter aos rigores do tratamento de câncer.

O dentista também pode recomendar bochechos especiais ou tratamentos com flúor para reduzir o risco aumentado de cárie devido à quimioterapia. É importante seguir uma rotina constante de cuidado dental, com escovação de dentes três vezes ao dia e uso diário de fio dental, a fim de manter afastada a placa bacteriana e conservar a saúde oral.

Dica de Sandra Fichera, dentista.

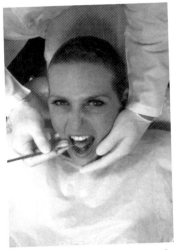

No consultório de meu fotógrafo-dentista, Wlad

ALIMENTAÇÃO 2

Bateu uma fominha? Não se jogue no chocolate, bolo ou salgadinho, viu? Superimportante para manter a forma e a imunidade lá em cima é comer cinco frutas por dia. São tantas opções deliciosas... mais doces, mais ácidas, macias... As frutas saciam, hidratam e alimentam.

E nem pense em leite condensado por cima; no máximo, um pouco de mel.

Sopas são nutritivas e não engordam! Essa é a dica do dia para quem está preocupado com os quilinhos a mais que se adquire durante a químio branca. Tomamos muito remédio e inchamos, não tem jeito.

Então, se você fizer uma sopa de vegetais para substituir o jantar no friozinho, além de suprir seu organismo com muita vitamina e não deixar sua imunidade cair, é uma delícia!

Não use muito sal, pois faz reter líquido.

Então, vamos manter o peso durante a químio sem baixar a imunidade? Achei esta dica no Armário Feminino. Serve muito bem para quem está em tratamento:

É possível desintoxicar o organismo. Basta aumentar a ingestão de água e bebidas hidratantes e revitalizantes, como sucos naturais e água de coco. O consumo de verduras e legumes crus, cozidos ou no vapor é indicado para o almoço e jantar. E para obter sucesso, é importante eliminar da dieta o uso de temperos e molhos industrializados.

Comer de três a cinco frutas por dia, variando nas cores – vermelho, branco, amarelo, verde e roxo – também é essencial. Prefira alimentos feitos com farinha integral e evite a farinha refinada e açúcares, e beba bastante água.

Fonte: http://mdemulher.abril.com.br/dieta/fotos/dietas/receitas-sopas--deliciosas-ajudam-emagrecer-737664.shtml?origem=home#10

QUIMIOTERAPIA ● BELEZA

EXERCÍCIOS FÍSICOS

Ahhh, exercícios físicos...

Sabemos qual a importância de nos exercitarmos. Não é novidade para ninguém que o corpo libera endorfina, hormônio que dá a sensação de bem-estar. Você fica mais esperta, pois seu cérebro oxigena e a deixa mais radiante.

Eu queria fazer aula de dança também, pois quem dança seus males espanta! Mas andar de patins ainda é meu esporte favorito. Ando rápido, devagar, dou piruetas, ando de costas... superdivertido!

Não gosto de ir à academia, prefiro um esporte ao ar livre e divertido. Também gosto de esportes aquáticos, mas, durante o tratamento, não me animo a entrar na água para tentar surfar. Muito esforço!

Outro dia, comprei uma bicicleta usada. Outra opção de transporte e exercício.

Foto: Samuel Schmidt

Não há nada melhor que praticar exercícios ao ar livre

DOCES

Sugestão de minha amiga Cláudia Reis:

Sabe o que ajuda a amenizar a vontade por doce? Colocar canela, que já tem um sabor levemente adocicado, nas frutas. Vale também tentar as frutas secas, como damasco, banana passa, ameixa e tâmara (a mais doce). Como perderam a água, acabam concentrando seu açúcar natural.

Mas você sabia que uma maçã tem o mesmo número de calorias que um brigadeiro? Se formos pensar só em calorias, esse raciocínio está certo, mas não é bem assim que funciona.

Os açúcares complexos, como a frutose, são absorvidos de forma mais lenta pelo organismo, assim como os integrais em relação aos alimentos processados. Precisamos de açúcares e carboidratos, mas esses elementos devem ser lançados na corrente sanguínea de forma contínua, evitando os picos; quando se come um chocolate, cujo ingrediente mais abundante é o açúcar, muito açúcar entra no sangue em um espaço de tempo pequeno, e isso propicia as inflamações, que propiciam o desenvolvimento do câncer.

As frutas têm calorias. As secas têm as mesmas calorias que as frescas, mas fruta é tudo de bom! Pode comer sem medo!

MODA INCLUSIVA

Moda inclusiva é como se chama aquela roupa que usamos com conforto no pós-operatório, com grandes zíperes e velcros, para não nos esforçarmos muito na hora de vestir e despir. Tem gente que realmente faz moda; você encontra até roupas mais elaboradas em algumas dessas marcas.

Existem sutiãs com enchimento para quem é mastectomizada e não pode fazer a reconstrução imediata por algum motivo. Você pode comprar apenas a prótese externa e usar em seus sutiãs também.

A Victoria Secret fez, para um Outubro Rosa, uma peça *supersexy*. Quem sabe alguém não faz no Brasil também?

Onde comprar essas próteses mamárias e roupas especiais? Lojas de cintas modeladoras geralmente têm todos esses produtos para vender, ou eles podem entrar em contato com o representante dessas roupas e encomendar para você.

Uma dica também são as roupas e chapéus com proteção solar. Na fibra da roupa existe um fator de proteção solar, ideal para fazer caminhadas.

FANTASIAS

Porque podemos nos fantasiar todos os dias!

Fantasiar por quê? Para quê? Para fugir da realidade ou para ir em busca de uma bem mais gostosa e interessante?

A realidade que quero tratar aqui é aquela que, em meio à luta do tratamento, às respostas do corpo e a todas as outras preocupações da vida de uma mulher, pode ser esquecida ou sublimada pela falta de autoestima, medo de rejeição, ou pela simples e dura doença. Portanto, se a mensagem deste livro é enfrentar o tratamento com otimismo e qualidade de vida, prazer é o que não pode faltar. Sexo sim! Sexo pode. Sexo eu quero. Mais que isso, sexo eu mereço, porque sexo é bom e tem o poder de me fazer sentir desejada.

Para quê vaidade, beleza, autoestima, pazes com o corpo, pele macia e um cheiro bom se tudo isto não for bem "aproveitado" nos prazeres do sexo?

Que sexo é bom, ok. Que nos faz sentir deliciosamente desejadas também... mas a questão é que muitas vezes nos "esquecemos" dele, por falta de coragem de exibir mamas mastectomizadas, vergonha da careca, ou medo de mostrar as cicatrizes.

E agora? O que fazer? Movida pelo desejo, com uma pitada de ousadia e um pouco de criatividade, as fantasias podem ser um caminho delicioso e divertido para reencontrar seu prazer.

Hoje sou uma personagem forte, dominadora e escandalosamente *sexy* de Tarantino, ou uma belíssima, sensual e provocante *Bond girl*? Dependerá da fantasia do seu amado, ou daquilo que você quiser propor a ele. A proposta aqui é fantasiar e ir aonde seu desejo a levar, sem culpa e sem medos, porque se melhorar a autoestima pode fazer bem ao tratamento, imagine o que o sexo benfeito não pode fazer por sua pele, seu cabelo e, principalmente, pelo brilho de seu olhar.

Ouse! Deseje e, principalmente, fantasie! Se quiser usar perucas, pode ser um elemento a mais para ajudá-la a incorporar uma personagem. Você pode realizar a fantasia dele de ter várias mulheres em uma só: careca, ruiva, morena, cabelo longo, curto, cacheado, de véu como uma beduína ou uma indiana com seus sáris coloridos. Vale até ser uma atriz pornô, uma puta russa, ou aquela ninfeta com saia de colegial. Quem sabe uma *pin-up* dos anos 1940 com carinha de safada e meias 7/8. Aproveite a falta de lubrificação e finja ser uma virgem que será tocada *"for the very first time"*.

Perucas, acessórios, *lingeries* e brinquedinhos eróticos são ótimos trunfos para apimentar ainda mais a transa. E quem sabe usar os recursos de uma boa *porn food* para fazer uma orgia gastronômica.

Vou explicar: *porn food* é um termo usado para uma comida que chega a ser pornográfica de tão gostosa e bem apresentada. São comidas feitas de ingredientes calóricos, melados, cremosos, suculentos, que remetem a um orgasmo gustativo.

Uma dica: leve a sobremesa para comer na cama! Essa sobremesa dispensa os talheres, e com o contato da pele, faz derreter até os mais gélidos corações!

SEXO

É natural, depois do diagnóstico, ficarmos sem vontade... ficamos arrasadas! Mas, o pior você não sabe; dois dos efeitos da quimioterapia são a falta de libido e de lubrificação vaginal. Dói muito o ato sexual.

Bem que minha amiga falou e eu não acreditei! Ela disse que estava seca, seca, e para não deixar seu marido chateado, ela pegava um aplicador intravaginal (aqueles que vêm com as pomadas) ou uma seringa e injetava lubrificante lá dentro antes de deitar.

Veja que espertinha! Ela me disse que lubrificante só por fora não adiantava.

No começo, não acreditei que isso pudesse acontecer comigo. Com ela sim, estava casada havia mais de vinte anos com a mesma pessoa!

Cats, é batata. Perdemos mesmo a lubrificação e a libido. Mas tudo volta ao normal depois do tratamento!

Uma amiga me contou que havia ficado meses sem transar com o namorado, o que é muito natural quando se faz a químio. Faz parte dos efeitos colaterais e emocionais a perda da libido, e normalmente os maridos e namorados sentem muito a falta de desejo da mulher. Os casais podem entrar em crise e até mesmo se afastar, afinal, não é qualquer um que segura essa barra emocional, e ainda ficar sem sexo!

QUIMIOTERAPIA ⊙ BELEZA

Fazer amor, comer e se produzir. Não deixe de curtir as delícias da vida

Fotos: Clica Voigt e Wladmir Dal Bó

Na primeira transa que tiveram depois, ela já estava careca, e me contou que foi mágico, porque sentiu uma liberdade e um poder inenarráveis. Ela se sentia completamente nua, despida de pudores, e sua autoestima foi lá nas alturas, pois se ele ainda a desejava dessa maneira, é porque ele a amava e a achava linda de qualquer jeito. Ela pôde colocar para fora suas fantasias e se sentiu mais mulher que nunca. Fizeram sexo intenso, e foi melhor do que ela podia imaginar. Venceu o medo e a vergonha e se deixou levar pela fantasia de ser uma heroína lutando contra o câncer e ao mesmo tempo tentando salvar seu relacionamento com o homem da sua vida.

Ela se deu conta do tempo perdido e nunca mais deixou de colocar as garras de pantera para fora. Hoje, eles recuperaram a vida sexual e até melhoraram a performance na cama.

O QUE A GENTE QUER OUVIR?

(Texto de Márcia Cabrita)

Como não encher o saco de um paciente de câncer com certos clichês? Acho que, de uma vez por todas, não merecemos ouvir mais:

QUIMIOTERAPIA ● BELEZA

- Aquela doença.
- A cura está na cabeça.
- Você deixou a doença entrar.
- Câncer é tristeza.
- Câncer é carma.
- Somente o amor aos filhos, a alegria de viver, a fé e o pensamento positivo podem salvar.
- Fulano perdeu a batalha contra o câncer.
- Conheço alguém que se curou de câncer em estado terminal só tomando essa erva milagrosa.
- Todos os efeitos colaterais são "o de menos".

O que merecemos ouvir:

- Posso ajudar?
- Rezo por você e sei que vai ficar boa.
- A medicina evolui a cada dia.
- Isso vai passar.
- Ficar careca é ruim, sim, comprei um lenço lindo para você, quer experimentar?
- Só liguei para que saiba que estou pensando em você.
- Eu te amo.

Se você for muito rico:

- Posso pagar a cirurgia.

Se você for médio rico:

- Posso pagar a próxima consulta.

Se você for pobre:

- Trouxe este pirulito.

Mas um simples abraço apertado, um sorriso sincero, já basta quando não se sabe o que falar.

SER MÃE X CÂNCER

Gregório, meu filho, tem vinte anos. Sempre tivemos uma ótima relação, só que ele é muito fechado. Mesmo assim, eu o percebo!

Quando eu soube, um ou dois dias depois, e já digerido, fui falar com todos de minha família. Em particular, perguntei a minha avó: "Você sabe que estou com câncer, vou ficar por aqui com Gregório. Mas parece que não é muito grave e acho que não vou morrer".

Imaginem o nervosismo de minha avó.

Para Gregório disse: "Estou doente, estou com medo, você vai cuidar de mim? Quero que você me ajude trabalhando, sendo adulto; a avó e a bisa vão cuidar da gente e vamos ver o que acontece".

Ele dormiu comigo um mês, não gostava quando eu tomava um vinhozinho, comia salames e embutidos. Ele me olhava feio quando eu relaxava. Depois que entendeu que eu queria mesmo viver intensamente durante a químio e que estava passando uma mensagem tão linda para o mundo, tranquilizou-se e não pegou mais no meu pé!

Na casa da vovó Balbina e o famoso café da tarde

SER FILHA X CÂNCER

Eu sou 50% de família alemã e 50% de outras nacionalidades – predominantemente argentina. A família de minha mãe, Dalva, é bastante forte emocionalmente. A de meu pai, Flávio, é mais chorona, dramática, e grande, ainda por cima.

Enquanto minha mãe me acompanha a cada químio, não se abala facilmente e se mostrou minha melhor amiga para todas as horas, meu pai só conseguiu ir comigo uma vez, não falou uma palavra, parecia que o gato havia comido sua língua.

Mas o que mais me encantou foi ver nossa família se unindo pela segunda vez. Meus irmãos por parte de pai vão jantar na casa de minha avó, mãe de minha mãe. Minha mãe e minha ex-madrasta (Cynthia, mãe de Vicente e Enzo), sentam-se no mesmo sofá para conversar! Isso não acontecia antes do câncer.

Na cama com minha mãe, minha ex-madrasta, Cynthia, meus irmãos e Gregório, meu filho (à frente). Almoço de domingo com minha avó por parte de mãe, meu pai, meus irmãos

Vicente e Enzo (do meu pai) e Gregório. Esses encontros de todos juntos só aconteceram depois de meu diagnóstico. Nossa família se uniu muito, dos dois lados

QUIMIOTERAPIA ● BELEZA

sessão de fotos com minha mãe, no dia em que eu raspei os cabelos, e o look da químio com meu pai

GUARDAR OS ÓVULOS

Somos muito mal esclarecidas sobre esse assunto: fertilidade. Fui saber, depois de terminadas as quimioterapias vermelhas e brancas, que antes de começar o tratamento devia ter guardado meus óvulos se realmente tivesse vontade de ser mãe.

Você deve procurar uma clínica de fertilização antes de começar as químios. Eles induzem sua ovulação com um medicamento e seus óvulos são congelados por tempo indeterminado. Para o homem é mais fácil, ele pode coletar o sêmen sem precisar tomar remédios. O preço não é muito alto e você paga uma anuidade para a clínica.

Mesmo sem um parceiro, acho válido se existe um desejo de procriar. Ouvi cada história linda de sucesso graças a esse cuidado antes de começar o tratamento...

Se você já começou e tem muita vontade de ser mãe, calma! A medicina é bastante avançada para que depois da químio você engravide. Mas o ideal seria colher um óvulo para aumentar as chances de engravidar.

VOLTA DO CABELO

Cats, Páscoa é renascimento. E adivinhem? Posso ver uma penugenzinha em minha cabeça! Sim, meu cabelo, devagarzinho, está começando a nascer. Que emoção!

Meu cabelo caiu justamente no dia do fim do mundo, 21 de dezembro de 2012, e começou a nascer na Páscoa de 2013! Que simbólico! Minha quimioterapia vai até março de 2014, mas os pelos agora já começam a voltar! E que venham os cílios, por favor!

Foto do amigo João Paulo, na Páscoa — os primeiros sinais de Renascimento

CALORÕES

Cats, vocês sofrem com aqueles calorões da menopausa induzida? Descobri que essa ausência de menstruação temporária se chama amenorreia. A sensação é tão bizarra, o calor é realmente repentino e agressivo; eu tenho ataques de *strip-tease*! Saio tirando a roupa por aí...

E não há o que fazer! É só ficar quietinha, esperar um pouquinho que passa.

Força, amigas, isso volta ao normal daqui a um tempo.

Esse calor que não passa!

ARTE

Arte é mais que beleza, é cultura!

Já que temos tempo entre uma químio e outra, por que não fazer um pouco de arte?

Eu chamei alguns amigos artistas para fazer parte dessa fase que estou passando. Fotógrafos, *designers* e artistas plásticos mandaram alguns trabalhos em homenagem à causa. Obrigada Clica Voigt, Wladmir Dal Bó e Samuel Shmidt, vocês me ajudaram muito fazendo fotos lindas. Ajudaram-me a me aceitar. Eu era tão carequinha!

Conheci Daniel Tupinambá num *show* do Dalua, percussionista e marido de Marisa Orth. Daniel é diretor de filmes e nos vimos uma ou duas vezes, mas continuamos conversando via Facebook. Uma bela noite, eu havia voltado da quimioterapia e queria conversar com alguém. Mas, como já contei, eu estava bem chapadinha de remédios e não me lembro da conversa que tive.

No outro dia, acordei lembrando-me do Daniel e resolvi ler o histórico da conversa da noite anterior; havíamos combinado de gravar um vídeo, curtinho, passando uma mensagem linda.

Pensei: "Que maluca, nem levo jeito para isso!" Só sei que eu fui, gravamos, e não paramos por ali. Temos vários projetos para realizar daqui para frente!

Acho os quadros da Kuke uma gracinha! Alguns dos meus amigos têm umas pinturas feitas por ela, e pedi a Attilio, meu ex-querido, um quadro também. Para minha surpresa, Kuke fez uma pintura minha e mandou de presente por ele.

Faça arte você também, aprenda a fotografar, pintar... Ótimo para se conectar.

QUIMIOTERAPIA & BELEZA

Quadro que Attilio me deu, um presente da artista plástica Kuke

CALOPSITA

Esta foto foi tirada na segunda-feira depois de minha última químio branca. Estou tão feliz com meu topetinho de calopsita!

Psita, Calopsita

A VIDA E O TRATAMENTO CONTINUAM

Quantas pessoas precisam continuar suas atividades normais durante o tratamento? As responsabilidades continuam, os filhos precisam de nós, a casa, e, por consequência, o trabalho, o estudo.

Não deixe de fazer nada se estiver se sentindo disposta; existe um limite, é claro, mas é você quem vai dizer qual é. Se o enjoo for grande, você não vai querer sair para jantar; se a dor de cabeça for grande, você não vai querer caminhar... Se a imunidade baixou, você não vai querer se expor na rua. O tratamento é difícil, mas não é impossível.

DEPILAÇÃO

Não foram apenas os cabelos da cabeça que começaram a crescer... cresceu até onde não devia! Falei com meu médico e ele indicou cremes depilatórios até o final da quimio branca. Disse que o problema de usar a lâmina ou cera é o fato de abrir um canal de entrada para bactérias com pequenos cortes ou uma pele mais sensível, e como ficamos com a imunidade baixa, isso pode causar uma infecção. Estou morrendo de vontade de fazer uma fotodepilação ou a laser, agora já posso!!

QUIMIOTERAPIA ⊘ BELEZA

DIVIRTA-SE

Fiquei dez dias em São Paulo e causei no *show* do The Cure! Foi a primeira vez que fiquei sem lenço e sem peruca durante tanto tempo. Fui *punk* a caráter! Eu e Didi, minha amiga querida que arrastei para ver o *show*, para o qual não tínhamos convite. Conhecemos Hermano na fila do *show* e ganhamos dele um par de convites para a pista VIP! Apesar de eu não ter aquele pique por causa da químio – fiquei bastante sentada no chão –, o *show* foi suuuuper, encontrei várias pessoas que eu queria ver. Obrigada Hermano! Grande beijo.

Eu me divirto bastante, adoro sair para jantar, ir a barzinhos com os amigos, viajar, ir à praia no fim da tarde, patinar, encontrex com as amigas de Floripa sempre que posso vê-las; elas são muito importantes para mim.

Durante a químio vermelha eu tomava "Champanhe das Princesas", que parece um refrigerante enjoativo, sem álcool, e fazia *superdrinks* sem álcool com um picolé enfiado no copo. Na químio branca até bebia uma tacinha de espumante ou vinho de gente grande, mas meu médico me liberou; pedi permissão.

No show do The Cure com Didi e Hermano

TÊTE-À-TÊTE COM A FAMÍLIA E AMIGOS

Olá, amigos e parentes! Como paciente de câncer, gostaria de falar por todos que estão doentes. Sei que é difícil abordar alguém que acabou de ser diagnosticado. Veja que situação delicada: "Oi, Flávia. Tudo bem?" "Tudo bem? Como assim? Estou com câncer!".

No começo, ficamos um pouco agressivos mesmo, e na primeira patada os amigos saem correndo. Se isso acontecer, esperem alguns dias e voltem, por favor! Precisamos dos amigos ao redor. Queremos continuar saindo com vocês, pelo menos ficar perto às vezes; não estamos morrendo, muito pelo contrário, estamos lutando e fazendo o tratamento para voltar à ativa, como todo mundo!

Hoje, tanta gente é diagnosticada com essa doença que não tem critérios... Quanta gente você conhece que está passando por isso? Na família, no mercado de trabalho e a toda sua volta. Não ficamos dispostos todos os dias para uma caminhada, mas para assistir a um filminho, comer um bolinho... pode chegar!

O melhor dos mundos, quando se faz uma cirurgia ou a químio, é a visita dos amigos. Normalmente, no corre--corre passamos tempos sem ver aquele amigo especial, mas quando estamos doentes podemos tudo, e queremos a presença dos seres queridos.

QUIMIOTERAPIA 🔘 BELEZA

TÊTE-À-TÊTE COM O MARIDÃO/NAMORADO

Olá, querido companheiro! Vamos falar sobre companheirismo?

A descoberta de um câncer é muito difícil para todos, tanto para o paciente quanto para os outros a sua volta. Vocês precisam ter paciência, pois o tratamento um dia acaba, sua esposa vai ser uma mulher maravilha depois que passar por tudo isso e será eternamente agradecida a você, que esteve ao seu lado durante esse tempo.

Vai haver cirurgia? Vai. Ela vai inchar? Vai, se estiver triste. Se você a convidar para uma caminhada três vezes por semana e ajudá-la na alimentação saudável, ela não vai inchar! Talvez só um pouquinho, que é inevitável por causa da medicação.

Ela vai ficar careca? Talvez. Ter uma mulher que pode ser várias mulheres em uma pode ser muito divertido. Experiência própria! Um dia você tem uma loira, outro dia uma morena, uma *punk*, uma árabe... Se você a deixar confortável para se fantasiar, vocês terão momentos incríveis juntos.

Raspe seu cabelo para ela se quiser dar uma prova de amor. Todos verão que marido maravilhoso você é, suportando o tratamento assim tão de pertinho.

Imagine se fosse o contrário? Ela não estaria firme e forte para ajudá-lo?

DIREITOS DO PACIENTE

Após receber o diagnóstico, ficamos tão assustadas que nessas horas nem nos lembramos de exigir nossos direitos. Mas, fiquem atentas, pois a maioria dos pacientes de câncer não sabe que o simples diagnóstico já garante vários direitos especiais.

Alguns hospitais em São Paulo, como o Hospital Sírio-Libanês, Hospital do Câncer e alguns institutos, como o Instituto Nacional de Câncer (INCA) e o Instituto Brasileiro de Controle do Câncer (IBCC), criaram cartilhas para orientar os pacientes. E estão disponíveis nos hospitais, nos institutos e também na internet.

Conheçam seus direitos. É lei, independentemente da gravidade ou do tipo de câncer:

- O paciente tem direito de sacar o FGTS assim como o PIS/PASEP e isenção de impostos.
- Se for uma criança e seus pais trabalharem, os pais podem sacar o FGTS. A solicitação pode ser feita nas agências da Caixa Econômica Federal.
- Carros novos com 30% de desconto. O carro adaptado é isento de IP, IOF, ICMS. Além da vantagem na compra, o paciente também não paga IPVA, e se morar em São Paulo, pode ficar fora do rodízio de veículos.
- Aposentadoria por invalidez, direito de receber licença médica e auxílio-doença, benefícios da previdência privada ou até Bolsa Família.
- Direito de exigir rapidez da Justiça em processos.

O paciente que ficou com alguma sequela por causa da doença ou do tratamento também possui outros benefícios.

Procurem seus direitos!

Eis alguns *sites* que podem dar um norte:

Hospital Sírio-Libanês – Legislação e benefícios: paciente com câncer:

www.hospitalsiriolibanes.org.br/hospital/especialidades/oncologia/Documents/legislacao-beneficios-paciente-cancer.pdf

Instituto Brasileiro de Controle do Câncer (IBCC) – Direitos dos pacientes:

www.ibcc.org.br/publicacoes/Direitos-do-Paciente.asp

Instituto Nacional do Câncer (INCA) – Direitos sociais de pessoa com câncer:

www1.inca.gov.br/inca/Arquivos/direitossociaisdapessoa-comcancerterceiraedicao2012.pdf

FLÁVIA FLORES

O COMEÇO DO FIM

Sempre fui muito atenta pras oportunidades que a vida reservara pra mim; não deixei de surfar nenhuma das ondas que quebravam na minha frente, ondas boas e ruins. O câncer me deu o que todos procuram: o sentido da vida, de uma maneira drástica, eu sei.

Parece até que o meu corpo estava clamando por uma pausa e eu não parava. Eu corria de um lado pro outro, batia cabeça, procurei no trabalho sentido pra minha vida, me decepcionei tanto com as pessoas. Mas também me diverti muito, eu não nego, guardei mágoas e abusei da minha saúde, querendo viver 10 anos a 1000.

O câncer me deixou de cama, me tirou os seios e o cabelo, perdi a cor e a vontade de namorar. Me rastejei. O corpo finalmente descansou, quietinha eu ficava quando estava muito enjoada ou sonolenta, mas quando eu me sentia bem eu vivia, eu me fantasiei, vi tudo ao meu redor com mais clareza. Vi quem era importante, senti o cheiro das flores. Eu queria viver!

Agora tenho peitos novos, cabelos novos, uma pele nova... Tenho sonhos novos, projetos e perspectivas.

Estou fazendo as minhas últimas sessões de radioterapia, e em nove meses eu finalizo meu tratamento quimioterápico. Mas a pior parte já passou, a pior quimio, os piores dias. E agora relembrando, o pior dia de todos, foi o dia do diagnóstico!

A minha missão está só no começo. Resolvi usar o tempo ocioso para dividir esperança, beleza, coragem através da internet. E olha só o que eu ganhei em troca! Fiz um exército de mulheres maravilhosas que hoje não tem medo do tratamento e usam como armas lenços de variadas cores, *blushs* e um belo par de cílios postiços.

O que vem agora? O câncer parece estar cada vez mais perto da gente, e sendo assim ele precisa ser vivido com leveza. Afinal não existe outra saída.

Pode apostar, daqui a pouco eu já estarei por aí... Colocando minhas asinhas de fora; um dia estou aqui e outro ali, como uma passarinha migrando pro norte e voltando pro sul, sempre.

A coisa mais certa que eu aprendi com isso tudo? Foi que o tratamento do câncer vai passar! Ele começa e ele termina. Daqui a pouco tudo fica no passado e a vida segue. A sobrevida é apenas o começo.

The end ☺

PRODUÇÕES ESPECIAIS

VÍDEOS

Como salvar seu cabelo: http://vimeo.com/56214683

Como tirar a cara de doente:
http://www.youtube.com/watch?v=NjS-WWJGT9E

Lenços:
http://www.youtube.com/watch?v=CbL96kOx34M

Micropore:
http://www.youtube.com/watch?v=pdU_k6j8Ru0

Murilo: http://www.youtube.com/watch?v=wjLlnFN1-BE

Pintando as sobrancelhas:
http://www.youtube.com/watch?v=4_CIdKwhC1w

1.ª Químio:
http://www.youtube.com/watch?v=-J0ukqKhR4w

1.ª Químio branca:
http://www.youtube.com/watch?v=qKipJBcDy9g

1.º Teaser:
http://www.youtube.com/watch?v=-MBQdQwWPPQ

2.º Teaser:
http://www.youtube.com/watch?v=ZYNDgw0zygQ

QUIMIOTERAPIA ● BELEZA

FAQ

1) Devo parar de trabalhar ou realizar minhas atividades diárias após receber o diagnóstico do câncer?

O indicado é tentar manter as atividades diárias e o trabalho normalmente. Contudo, sabe-se que novas atividades farão parte do dia a dia, como consultas médicas frequentes, exames invasivos e tratamentos demorados, como a quimioterapia. Tudo isso pode afetar seu estado geral e demandar mudanças.

2) Posso fazer exercícios físicos ou devo ficar em repouso?

Sabe-se que a rotina após o diagnóstico de câncer muda muito; são consultas, exames, tratamentos frequentes. É aconselhável levar a vida o mais próximo ao normal possível. Caso você não tenha o hábito de fazer exercício físico regularmente, converse com seu médico. Se você já se exercita, tente manter as atividades o mais próximo ao ritmo normal, mas escute seu corpo – respeite momentos de descanso para recuperação de energia.

3) Em que situação devo procurar o hospital?

Em geral, pacientes são orientados a procurar o serviço de saúde em caso de febre (temperatura maior ou igual a 37,8 °C); falta de ar súbito; convulsões; confusão mental; dor de aparecimento abrupto ou difícil de suportar; mal-estar intenso, mesmo que não se saiba o porquê; diminuição de força nas pernas de aparecimento recente; náusea ou vômito que impedem a alimentação ou ingestão de líquidos; diarreia intensa.

4) A quimioterapia em comprimido é tão eficaz quanto a quimioterapia intravenosa?
Nas últimas décadas, a ciência tem avançado muito. A possibilidade de fazer quimioterapia utilizando comprimidos é um exemplo claro desse avanço, visto que o paciente pode fazer o tratamento contra o câncer em sua própria casa. Mas a quimioterapia via oral está disponível apenas para alguns tipos de câncer, ou seja, cada quimioterapia tem uma indicação específica. O comprimido pode ser mais eficaz que a medicação pela veia em alguns casos e menos eficaz em outros, se não for a indicação correta da medicação.

5) Toda quimioterapia faz cair o cabelo?
Não. A queda de cabelo depende do tipo de quimioterapia usada e da sensibilidade do paciente ao tratamento. Vale lembrar que a queda de cabelo é temporária, isto é, após o término do tratamento, o cabelo volta a crescer normalmente.

6) Meus familiares podem usar o mesmo banheiro que eu durante o período de quimioterapia?
Sim. Apenas alguns tipos de quimioterapia são eliminados pela urina ainda com ação do medicamento. Converse com seu médico e veja se a quimioterapia que está usando exige algum cuidado especial.

7) Posso tomar sol durante meu tratamento?

Alguns quimioterápicos podem aumentar a sensibilidade das células da pele e, se exposta ao sol, podem ocorrer manchas ou até mesmo queimaduras. É importante conversar com o médico para tirar dúvidas relacionadas especificamente ao seu tratamento.

8) Existe algum tipo de risco para as pessoas que convivem comigo durante a fase em que estou fazendo radioterapia?

A radioterapia é um tratamento muito útil na área da oncologia. Ela tem diferentes indicações e diferentes formas de aplicação, podendo ser externa ou interna (braquiterapia). A mais frequentemente indicada é a radioterapia externa, em que o paciente recebe raios de radiação na região do câncer, evitando-se ao máximo afetar as células normais nas áreas próximas a ele. No caso da radioterapia interna, o material radioativo é temporariamente introduzido no câncer. Ambos os tratamentos são ambulatoriais, isto é, o paciente vai e volta do hospital a cada sessão e não se torna radioativo após o tratamento. Assim, o paciente em tratamento radioterápico pode conviver normalmente com as pessoas.

9) Pólipos no intestino ou miomas uterinos podem virar câncer?

Pólipo é um tumor benigno, que pode parecer uma verruga, que se forma na mucosa do intestino (cólon e reto). Em geral, o pólipo começa bem pequeno e cresce lentamente no decorrer dos anos. Pouco mais da metade dos pólipos do intestino, quando avaliados em laboratórios, são do tipo adenoma – considerados pré-malignos. Esse tipo de pólipo tem grande chance de se desenvolver em um câncer de intestino. Os outros tipos de pólipos não são preocupantes. Para saber se o pólipo é ou não um adenoma, é necessário fazer biópsia por meio de colonoscopia ou cirurgia para retirá-lo, e análise laboratorial. Ao contrário dos pólipos intestinais, os miomas no útero da mulher são tumores benignos que não se tornam malignos. Muitas mulheres podem ter miomas e nem saber que os têm. Os miomas podem aparecer em vários locais do útero, em diversos tamanhos, provocar ou não sintomas. O tratamento pode ser cirúrgico, mas em muitos casos pode-se apenas observar clinicamente sua evolução.

10) Participar de pesquisa é seguro?
Antes de uma pesquisa ser oferecida a um paciente, muitas etapas são cumpridas para garantir sua segurança. Um projeto de pesquisa é analisado por várias comissões, que envolvem diferentes profissionais, a fim de assegurar a questão ética e legal dela. Muitas vezes, participar de uma pesquisa acaba sendo uma oportunidade de receber um tratamento inovador para o controle do câncer.

Fonte: ICESP

SITES

American Cancer Society: www.cancer.org/

Associação Brasileira de Apoio aos Pacientes de Câncer: *www.abrapac.org.br/*

Câncer de Mama Tem Cura: www.cancerdemamatemcura.com/

Clinique: www.clinique.com.br/

Combate ao Câncer: www.combateaocancer.com/

Eu amo meus peitos: www.euamomeuspeitos.com.br/

De bem com você – A beleza contra o câncer: www.debemcomvoce.org.br/

Femama: www.femama.org.br/

Hospital AC Camargo: www.accamargo.org.br/

Hospital Santa Paula: www.santapaula.com.br/

Hospital Sírio Libanês: www.hospitalsiriolibanes.org.br/

Huntington Medicina Reprodutiva: www.huntington.com.br/

Instituto Brasileiro de Controle do Câncer: www.ibcc.org.br/

Instituto Nacional de Câncer: www.inca.gov.br/

Instituto da Mama: www.institutodamama.org.br/

Instituto Lado a Lado pela Vida: www.ladoaladopelavida.org.br/

Instituto de Tratamento do Câncer: www.itcancer.com.br

Instituto Oncoguia: www.oncoguia.org.br/

Instituto Se Toque: www.setoque.org.br/

Look Good Feel Better: www.lookgoodfeelbetter.org/

Mulher Consciente: www.mulherconsciente.com.br/

New Visual Hair: www.newvisualhair.com.br/

O câncer de mama no alvo da moda:
www.ocancerdemamanoalvodamoda.com.br/

Quimioterapia e Beleza:
www.quimioterapiaebeleza.com.br/

Sociedade Brasileira de Mastologia:
www.sbmastologia.com.br/

Vou começar hoje mesmo a contar a minha história...